加藤 晋
Cato Susumu
伊藤亜聖
Ito Asei
石田賢示
Ishida Kenji
飯田 高
Iida Takashi

筑摩選書

デジタル化時代の「人間の条件」

ディストピアをいかに回避するか？

デジタル化時代の「人間の条件」　目次

はじめに――デジタル化していく社会のなかで　9

第一章　デジタル化する世界を生きる　17

1－1　デジタル化という幽霊　18

1－2　スマホを何のために使うか？　28

1－3　変容する「人間の条件」　36

1－4　本書の構成　41

第二章　デジタル化と経済　45

2－1　経済組織とプラットフォーム　46

2－2　自己所有権命題と情報搾取　52

2－3　ロック＝マルクスを超えて　63

2－4　再び問われる人間の本質　70

第三章　デジタル化と法制度　73

3－1　法の運用コスト　74

3－2　法規範の内容の変化　83

3-3　法と不平等　96
3-4　デジタル化時代の公的領域と私的領域　103

第四章　デジタル化と不平等　111
4-1　技術進歩と所得格差　112
4-2　二極化する人びとの役割　118
4-3　世代を超える機会の不平等　131
4-4　開かれたデジタル化社会　143

第五章　デジタル化と余暇　145
5-1　時間の捉え方と使い方の変容　146
5-2　私事的な余暇社会の誕生　157
5-3　生活は加速しているのか？　164
5-4　問われる余暇時間のあり方　180

第六章　デジタル化時代の倫理　185
6-1　世界に接触する存在としての人間　186

6-2 労働と仕事が作り出す人工世界 193
6-3 不純な活動と退避可能性 205
6-4 デジタル化時代の「人間の条件」 216
第六章 補論 227

巻末補足 「日々の暮らしの価値観・行動に関するオンライン調査」の概要 230

あとがき 233
参考文献一覧 251
索引 254

デジタル化時代の「人間の条件」

——ディストピアをいかに回避するか？

はじめに——デジタル化していく社会のなかで

過去半世紀におけるデジタル技術の発展は目覚ましかった。半導体の技術革新と情報通信技術の普及は個人がインターネットに常時アクセスすることを可能とし、全世界の人びとがネットワークに組みこまれる時代が訪れた。そうしたなか、GoogleやFacebookに代表される巨大プラットフォーム企業が台頭してきている。

こうした変化は生活を大きく変えつつある。人びとは膨大な時間をスマートフォンや情報端末に向かって過ごしているが、データのプライバシーへの懸念も生じている。スマートフォンなどの端末を介して、自分のもつ位置情報、身体情報、自分の購入履歴、自分の過去といった情報が第三者の手にわたってしまうことが起きている。

しかしその一方、インターネットに依存する度合いは近年ますます高まっており、そこから距離を置くことは困難である。特に、新型コロナウイルス感染症（COVID-19）が広がるなかで、否応なしにデジタルツールをさまざまな場面で利用しなければならなくなった。人びとはインターネットを通じて膨大な情報を交換せざるを得ない立場に置かれており、これによって私たちが触れる情報の性質もまた変化してきている。

こうしたなかで、真実ではない情報の量が増えてきている。このことは、新型コロナウイルス感染症が拡大する状況のもとで、深刻な社会問題として顕在化した。どうすれば感染を防げるか、感染拡大によって何が起きるかといったことについて、さまざまな情報が拡散している。現在、情報がＳＮＳ（ソーシャルネットワーキングサービス）などで伝達され、かつてとは比べようのないほどのスピードで膨大な量の情報がやりとりされている。それと同時に、偽の情報があたかも真実として伝播する事態も起こりやすくなっている。

人びとの生活だけではなく、人間という存在が脅かされてもいる。近年では機械学習の予測精度が格段に高まっており、囲碁の世界では世界チャンピオンに勝る成績を記録した。人間のもつ「知性」とはいったい何か、ということを考える時代がきたのかもしれない。

デジタル化は社会にかつてない影響を与えつつある。

本書の問い

現代においては、社会現象が極めて複雑になるため、全体をまとめて議論することは簡単ではない。何らかの社会現象を一つに絞って、社会を一つの断面からじっくりと眺めて精査することで複雑な問題を考えるための示唆が得られるかもしれない。本書で取り上げたい社会現象は、すでに言及した「デジタル化」である。人びとは、一日の生活の中で、さまざまなデバイスを持ち、多くの情報を利用している。社会で生み出され、消費される情報の量は、幾何級数的に増加している。現代を生きる30歳の食事の平均消費量と、30年前の同じ30歳のそれが大きく異なることはないだろう。しかし、この30年のあいだに、1日にアクセスする情報量には桁違いの変化があった。デジタル化は現代社会の変化の根本的原因であり、また、結果でもあるとわれわれ筆者らは見ている。

本書で考える問いとは、デジタル化に伴って社会がどのように変化し、発展していくのか、そしてどのような方向を目指していくべきなのか、というものである。

この問いに答えるには、デジタル化に関するさまざまな事象を観察したうえで分析しなければならないため、何らかの実証的な作業を必要とする。その一方で、こうした問いの背後には、社会はよりよいものになるのか、という倫理的な問題意識もある。それだけでなく、よりよい社会はどのようにして可能なのか、という根底的な問題も鍵となるだろう。つまり、社会科学の論理と倫理的視点を組みあわせながら現代社会を読み解くというのが、本書で取り組みたいことなのである。

デジタル化は何をもたらすのか。実のところ、この問題は多くのシンクタンクや各国政府によっても検討されてきた。多くの論点をカバーする報告書が日々公開されている。本書は、こうした「報告書」とは全く異なる性質のものを目指している。本書はむしろデジタル化という社会現象の本質を少しでも理解することに焦点を合わせる。

倫理的問題を視野に入れてデジタル化を議論するうえで、われわれが議論のヒントとしたのは、ハンナ・アレント（Hannah Arendt, 1906–75）の思想である。彼女を題材にした『ハンナ・アーレント』という映画が公開されたことで、以前より有名になったように思う。アレントは『全体主義の起源』と『人間の条件』などの著作で広く知られている。前者はいわゆるナチズムやスターリニズムがどのようにして支配的になり得たのか、その分析を試みたもの、後者はギリシアのポリスから着想を得て、人間という存在を政治哲学的に捉えようとしたものである。

アレントは、この二つの主著を含め多くの作品を残しているが、思想の根底にあるのは、社会に生きる人間の本質とは何かという問いである。アレントによれば、社会の中で人間として生きることは、生命を維持することと大きく異なる。社会には、人のあいだをつなぐ公共的空間が構成されるのであって、その空間で実りあるやりとりをしてこそ、人間として生きることができるのである。彼女の文章の持つ生命力のためかもしれないが、アレントの思想に触れていると、人間というものにあまりに理想的なものを求めているような印象も受ける。[1]

本書では、アレントの厳格な思想を幾ばくか緩やかに捉え、それを思考のベースにして、デジタル化を理解していく。アレントは社会科学者と見なされているわけではないので、違和感を持つ人もいるかもしれない。しかし、われわれはデジタル化の問題に対して彼女の思想は大きなヒントを与えてくれるのではないかと考えている。具体的には、次のような課題を自分たちに課してみたい。それはデジタル化の可能性あるいはその不可能性を、人間のあり方の本質から理解することである。

ポイントは次のようなものである。デジタル化は平均的に見れば、生存のための労働から人類を解放する効果を持つ。それによって、労働以外のことを行う余裕が得られるという意味で、人類のよりよき未来につながる可能性がある。明らかにそれは、デジタル化による恩恵である。

しかし、デジタル化が与えるその余裕は、すべての人に平等に行き渡るのだろうか。これは人びとの間での分配の問題である。デジタル・ディバイドという言葉に言い表されるように、人びとは社会のデジタル化の影響を等しく受けるわけではない。実り豊かな生活を送る機会に格差が生じる恐れがあるのである。

さらに別の角度からの問題がある。デジタル化によって生まれた余裕は、一体どのように利用されるのだろうか。これは、一人ひとりにおける時間の利用の仕方の問題である。充実した人生を送るために、その時間を使うことができるだろうか。それは友人と過ごす時間として使われる

1――特に、対話や交流が苦手な人にとっては、アレントの思い描く人間像は、辛いものとなりかねない。対話が得意かどうかは生来の才能による部分もあるはずである。人とのやりとりで精神的に苦しむことで、対話や交流を避けたいという人もいるかもしれない。本書の第六章では、こうしたことへの配慮から、対話や交流からの「退避」の問題について考える。

のだろうか。中には、自分の仕事が人工知能（ＡＩ）に取って代わられないよう、自分のスキルをより高めるべく、何かの学習のためにその時間を使う人もいるかもしれない。社会のあり方や未来について、ＳＮＳで意見交換をするために時間を使う人もいるかもしれない。また、時間の余裕は、潜在的な経済的機会が大きくなることを意味する。余った時間で金銭を得るための何かを行えば、収入を増やすこともできる。

デジタル化の恩恵としての生活の余裕をどのように使うかということが、人類に問われているのである。まさにそれは、アレントにおいてデジタル化を読み解くことを意味する。

人類が、デジタル化の恩恵を平等に分配することができ、実り豊かな生活のための「生」を追求していくならば、デジタル化が与えるものは、かつて空想家たちが思い描いたようなユートピアに近いものとなるだろう。

しかし、人類が豊かな生活のグループとそうでないグループに二極化したり、デジタル化による恩恵をうまく活用しないとすれば、人類の未来にはディストピアが到来するのかもしれない。こうした意味での悲観論はかなり広まっているといってよいかもしれない。巨大プラットフォーム企業の台頭と、かれらによる個人データの蓄積は、多大な利便性の提供を可能にする一方で、プライバシー侵害への懸念を引き起こしている。人工知能がビッグデータに基づいて個人の権益を左右するような重要な法的決定をするようになるかもしれない。ＳＮＳを用いた選挙運動の一般化が進む一方で、ＳＮＳ上での情報の操作や誘導が行われることで民主主義（デモクラシー）

の機能が弱まる危険性もあるかもしれない。アルゴクラシー（アルゴリズムによる民主主義）やデジタル権威主義といった、人びとを不安にさせるような言葉を耳にすることも増えてきた。

デジタル化社会の中での感染

デジタル化は、私たちの直面する新型コロナウイルス感染症の問題を考えるうえでも無視できない論点となっている。新型コロナウイルス感染症が過去の地球規模のパンデミックと大きく異なるのは、さまざまな情報がYouTubeやTwitterといったプラットフォームで瞬く間に共有されている点にある。

パンデミック下でも私たちが交流可能なのは、ＳＮＳやプラットフォームが存在するからである。デジタル化によって、外出や移動を減らしながらも、必要なサービスや情報を手に入れて、労働することも可能となっている。これは、災害に対するデジタル化社会の頑健性を示している。こうした事実は、デジタル化をさらに加速させていくこととなる。つまり、新型コロナウイルスの感染拡大が、デジタル化の拡大を引き起こす。

しかし、デジタル化社会における感染拡大は、危険な帰結をもたらすかもしれない。真実かどうかわからない膨大な情報を受け取る個人は、インターネットを通じて多くの人びとと交流するなかで、社会的孤立に陥りかねない。感染拡大によってこの傾向が強まるかもしれないのである。密なネットワークにおいても人びとが「孤立」することはあり得る、とアレントは指摘している

（Arendt 1958:58-9［訳書88頁］）。

アレントによれば、人びとが思考停止してしまう時にこそ、全体主義の危険が迫ってくる（Arendt 1951, Chapter 13）。人間は、周りの人びとと自由に意見を交換しながら自らの考えを熟成させていく。感染拡大が迫りくるなか、膨大な情報を受け取ることで、熟考と討議という重要な社会的活動が奪われてしまうかもしれない。社会の中で人びとが「アトム化」することで、デモクラシーの機能が弱まってしまうのである。

デジタル化が進んでいったその先で、アレントが描いたような全体主義的なものが再びこの社会に忍び寄ってくるのだろうか。楽観的ユートピア論や悲観的ディストピア論の多くは、問題を単純化しすぎているように思える。このような問題を考えるには、結局、人間の生き方の本質に思考をめぐらさざるを得ないのではないだろうか。４人の共著者のあいだで何度も議論を交わしながら、自分たちなりにこの課題に応えてみようとした。ジャン゠ジャック・ルソーは『社会契約論』の結論部分で、自身の視野の狭さを嘆いて、「もっと自分にとって身近なことに取り組むべきだった」と述べた（Rousseau 1762）。デジタル化は大きな社会現象であるため、われわれの狭い視野で捉えきれない部分があることは避けられない。できるだけ、身近なことに注目しながら議論を進めるように心がけたつもりである。

第一章

デジタル化する世界を生きる

1－1　デジタル化という幽霊

幽霊を握りしめる人びと

「デジタル化とは何か」という問いに考えをめぐらせることからはじめなければならない。「デジタル化」という言葉を耳にすることは少なくないが、自分たちの社会がどのようにデジタル化しつつあるのかは、なかなか目に見えてこないのではないだろうか。目に見えにくいにもかかわらず、人びとの生活の中にすでに潜んでいて、その影響がいっそう強くなりつつあるという印象もある。21世紀の社会の背後に潜み、さまよう「幽霊」のようである。

この幽霊が生活の中で最も身近に感じられるのは、スマートフォンを手にしているときかもしれない。スマートフォンは、最先端技術の結晶とも言える製品である。スマートフォンは、電話としての通話機能だけでなく、多くの機能を持っており、人びとはそれを柔軟に利用している。少し古いパソコンよりはるかに高い情報処理能力を持ち、さまざまなセンサーも内蔵されているため、現在地や方角も測定できる。

何よりインターネットとの接続が大きな柔軟性を与えている。それにより、購入時には開発されていなかったアプリケーションをダウンロードしたり、新しいバージョンを更新（アップデート）したりすることで、あとから機能を追加することもできる。このように購入後に新たに機能を追加するということは、従来の製品では考えられなかった。少し前まで製造物（ハードウェア）は、製造された時点で機能が完成しているというのが通常だったが、インターネットとつながる前提で設計することにより、機能を後付けすることが可能になったのである。これはハードウェアでありながら、ソフトウェア的な発想で設計されたものだと言える。スマートフォンは、21世紀の情報環境を活用した「モノのインターネット（IoT）」の代表例である。

自分のスマートフォンの中を覗くだけで、デジタル化が社会をどのように変えているのか、あるいは自分の生活をどう変えているのか感じ取ることができるだろう。移動中にスマートフォンでインターネットに接続し、商品を購入することや銀行口座の管理を行うことはすでに一般的なこととなっている。経済活動のかなり大きな部分が、スマートフォンを通じて行われていると言ってもよい。

多くの人びとが、仕事の合間の休憩時間や出勤途中にスマートフォンで動画やニュースを検索して過ごす。自分の家で余暇を過ごすときにも、スマートフォンでＳＮＳなどを通じて交流することは多い。こうした様子は、２０００年ごろの社会の姿と大きく異なる。

スマートフォンを通じた活動は、情報管理やプライバシーに関する大きな課題も突きつけている。近年では個人情報の流出などのニュースをよく目にするようになった。多くの情報がデジタル情報で管理されているがゆえに、大量の情報が流出しやすくなっている面もある。ＳＮＳでは、誹謗中傷や真偽不明な噂の流布といったトラブルも少なくない。このようなことから、人びとの生活を守るための法整備もされてきている。スマートフォンのアプリなどで弁護士に簡単に相談できるようになっていることも重要な変化である。

スマートフォンと従来型のフィーチャーフォンも含めた携帯電話の利用状況に絞って考えてみよう。[1]世界の国々に目を向けてみると、先進国のみならず、多くの新興国・途上国でも携帯電話の普及が進んできた。世界各国における携帯電話の契約件数の推移を見ると、1990年以降に先進国で契約件数が伸びており、2008年には1人あたり1件の契約を超えた。つまり平均すると、1人1台の状況が生まれたのである。低所得国でも、2015年以降には1人あたり約0・6件の契約件数に達している。

このように考えると、情報通信技術と接続手段の面で発展途上国と先進国のあいだに存在した格差（南北格差）は、いまなお存在するものの縮小してきたのである。その結果、社会全体、そして世界全体がインターネットで結びつきつつあることを前提に、デジタル技術をどのように活かしていくかを考えることがより重要な問題となっている。[2]

本章では、デジタル化の問題を考えるうえでの出発点を整理していくことにする。デジタル化は、ある意味で、多くの国のスローガンとなりつつある。世界銀行の報告書は、機会とリスクの2点を挙げているが、本書では、デジタル化の本質を見極めるには何を考えなければならないかを、社会科学の視座から検討していく。デジタル化は、人びとの生活を変えるとともに、人間のより深い部分へ何らかの影響を与えるということはないだろうか。本書ではこうした問題意識から議論を進めていくが、そのための基本情報を、まずはできるだけ整理しておきたい。

デジタル化がもたらす変革

デジタル技術の発展と普及によって、社会はどのように変わっていくのか。近年、デジタル技術によるビジネスモデルの変革が、「デジタルトランスフォーメーション（ＤＸ）」と呼ばれて注目されている。

日本社会にとって、ＤＸはどのような意味を持つだろうか。振り返ってみれば、日本の企業は高度成長期から80年代にかけて、独自の企業システムを進化させてきた（Aoki 1988）。その代表例が、長期的雇用や年功賃金の制度、そして長期の取引関係（下請け制等）であり、一つの企業内部での研修や転勤を含めた異動・昇進を調整していく仕組みに特徴があるとされた。この独自のシステムは、先進国に追いつくキャッチアップ経済段階では強みとなったが、90年代から日本経済が低迷期に入ってからは、産業構造の転換もあって、この強みが失われることとなった。[3]しかし、一度定着した企業のシステムは、ある種の粘着性を持つため、簡単には更新できない。

1――以下で言及する値は、世界銀行「世界開発指標」による。なお、デジタル化を計測するその他さまざまな指標（ネットワークへのアクセス、効果的な利用状況、イノベーション、雇用面でのデジタル化、プライバシー等）を網羅的に紹介しているものとして、OECD（2019）を参照。

2――新興国・途上国におけるデジタル化の進展の影響を検討したものとして伊藤亜聖（2020）がある。

企業内の制度では各部分が独立しておらず、相互に依存し補完し合っているからである。特に戦後になって、日本企業が時間をかけて作ってきた企業内部での綿密な調整を行うシステムは、現在のグローバル経済の中で生産活動を行ううえで優位性があるとは言えないにもかかわらず、中核的な仕組みとして今も多くの企業に残っているのである。

旧来のシステムが更新されないならば日本企業の競争力は大きく低下する可能性があり、システムを更新するためのきっかけとしてデジタル化に期待が寄せられている。[4] こうしたデジタル技術によって企業組織を改革することで、より柔軟で効率的なシステムを構築できる可能性がある。それとともに、事務部門の減少や、外部の個人技能者（フリーランス）への外注が広がるかもしれない。[5] 一般にはＤＸとは、古い経済システム、つまり、旧式のビジネスモデルをアップデートするためのスローガンなのである。しかし、デジタル化の持つ意味とはそれだけなのだろうか。

「デジタル化による恩恵」を可視化する

デジタル技術による変革に対応する論点は、「デジタル化による恩恵」をテーマとする世界銀行の２０１６年報告書で幅広く検討されている（World Bank 2016）。この報告書は、見えにくいデジタル化の持つ意義をより可視化するものだと言えよう。

この報告書では世界の経済開発に与える影響を検討し、デジタル技術の普及が直接的にもたらす主要な効果として、第一に検索と情報アクセスの改善、第二に自動化技術の普及、そして第三にプラットフォーム企業の台頭を挙げている。これら三つの効果は、効率性の大きな改善をもたらす可能性がある一方で、新たな経済問題を引き起こすリスクがある。

第一の検索と情報アクセスの改善は、情報の偏在の解消を通じてより包摂的な市場環境につながる可能性がある。例えば、新興国・途上国の零細農家が農作物の市場価格をリアルタイムで得ることができれば、情報の欠如ゆえに不当に買い叩かれることはなくなるだろう。あるいは、遠隔地の学校においても、オンライン学習の機会が広がれば、わかりやすい講義を全員が受けることができ、特に意欲のある学生はさらに学習を深められるかもしれない。[6]

3――日本企業は、製品設計の観点から見て、部品間でのすり合わせが必要なインテグラル型の製品（乗用車等）では国際競争力を維持してきた。しかし徐々に部品間でのインターフェースが設定され、また部品間の調整が事前にスペックとして定式化されたモジュラー型の製品（エレクトロニクス製品）で国際競争力を失ったことが指摘されている。例えば新宅・天野編（2009）、小川（2014）を参照。

4――例えば経済産業省デジタルトランスフォーメーションに向けた研究会（2018）を参照。同レポートでは、老朽化したシステムを「レガシーシステム」と呼び、日本企業のシステム更新が遅れ、これが2025年頃までに競争力の低下につながるリスクが指摘されている。

5――2010年代に進展した技術革新の影響を検討したMcAfee and Brynjolfsson（2017）は、非定型的な仕事までが自動化される可能性に言及している。そして自動化・機械化を活用しつつ、不特定多数の参加者の知識と能力をこれまでにないかたちで組み合わせることができる組織こそが今後成功すると見ている。

6――大規模公開オンライン講座（Massive Open Online Course, MOOC）や、「子供1人に1台のノートパソコン」（One Laptop per Child, OLPC）プロジェクトに関する実証研究では、プロジェクトにおける効果が特定層に集中したり、十分な学習効果が得られないといった点が報告されている。

このようなメリットがある一方で、検索の際に提示される情報や、そもそもアクセス可能な情報が制限されるような状況下では、第三者によって情報が統制されてしまう。1990年代にインターネットが登場した際、この新しい技術が広がれば、そこには国境は存在せず、自由に情報を得ることができるようになると期待されていた（Negroponte 1995）。しかしながら、権威主義体制の国々では国家による検閲の問題がたびたび報告されており、民主主義体制においても、検索結果を示すプラットフォーム企業が広告出稿主からの支払いに応じて情報の表示順位を変えるような事態が起きている。[7]

フェイクニュースの流布や、SNSを用いた選挙運動への介入も報じられている。米国大統領選挙だけでなく、インドネシア等の発展途上国でも、選挙の際に根拠のない噂話や虚偽情報が発信・共有されるということが起き、選挙結果を大きく変えてしまうことが危惧されている。一連の問題に対応するために第三者による監督の仕組みを構築し、政府による検閲や、プラットフォーム企業の検索結果、SNS上のさまざまな情報をモニタリングしていくことが必要となるはずである。また個人情報をいかに保護していくかも重要な論点となっている。[8]

デジタル化がもたらす第二の効果は、自動化技術の普及である。

企業はよりコストの低い設備・システムの導入によって、投入と産出の比で求められる生産性を高めることが期待される。こうしたなかで消費者は、充実した製品・サービスをより安価に享受することができる。加えて、政府のさまざまな行政手続きや業務も、オンライン化によって効率化できる。
しかしながら、こうした自動化は労働市場に多大な影響を与えつつある。作業の内容と手順を明確に定めることができるルーティン化された業務では、自動化が進みやすい。このため、技能水準で見た場合、こうしたルーティン業務に従事する労働者の雇用は、機械によって代替されやすい。[9] 結果として、労働市場での不平等が拡大するリスクがある（これらの点は第四章で詳しく検討する）。デジタルツールを活用できるスキルをより多くの人が身につけ、生涯学習や学びなおし（リカレント教育）の機会が得られるよう、さらなる環境整備が求められている。

そして、デジタル化の第三の効果は、プラットフォーム企業の台頭である。売り手と買い手を仲介し、いままで成り立たなかったような取引を実現することで、プラットフォーム企業は多大な利便性をもたらす。電子商取引やライドシェアといった取引では、消費者は未知の販売者・サービス提供者から製品・サービスを購入する。このとき、プラットフォーム

7――日本政府が2021年に閣議決定した「特定デジタルプラットフォームの透明性及び公正性の向上に関する法律案」では、プラットフォーム企業による不公正な競争・取引慣行に加えて、検索表示の順位の決定に用いられる主要な事項を開示するよう求めている。
8――消費者が自らの閲覧履歴、電話帳、地理情報などを秘匿することに価値を感じていることを示した論文としてSavage and Waldman（2015）がある。
9――人工知能技術の普及が経済の諸側面（マクロ成長、労働市場、生産性、金融等）に与える影響を検討した書籍として山本編著（2019）がある。

企業が第三者として取引を監視し、双方がルール違反をしないような仕組みを提供する。これによって多数の取引が成り立つ。

日本でいえば電子商取引サイトの楽天市場や、フリーマーケットアプリのメルカリがその典型である。メルカリの場合、発注に先立って、買い手はデポジット（預け金）を入金して注文し、売り手はその通知をもとに商品を発送する。そして買い手が、発注通りの商品であることを確認したときに、プラットフォーム側（この場合にはメルカリ）が、買い手のデポジットから売り手へと代金を送金する。その際にメルカリは、販売仲介手数料を得ることになる。これはエスクローと呼ばれる、第三者による保険の仕組みである。エスクロー自体は以前からあったが、電子商取引の時代に入って、一般消費者のあいだで急激に普及した。

プラットフォーム企業の台頭には、特定企業による独占や寡占的状況が生じ得るという懸念もつきまとう（プラットフォーム企業については第二章で詳しく検討する）。デジタル経済では、あるサービスを利用するユーザー数が増えることで、利便性が飛躍的に上がっていくというネットワーク外部性（ネットワーク効果）の存在が指摘されてきた（Shapiro and Varian 1999）。世界的企業となったGoogleの場合には、オンライン検索サービスを無料で提供して多くのユーザーを確保することによって、検索結果画面に広告を出したい広告主事業者をより多く集めることに成功している。

Twitterの場合、ユーザーが10人の時には、1対1のやりとりに限れば、その組み合わせは45

（10×9÷2）である。しかし、ユーザーが１００になれば、４９５０の組み合わせが可能となる。ユーザーの数が10倍になった際に、やりとりの組み合わせは１００倍以上になっていることがわかるだろう。これが1億人となれば、やりとりできる相手は格段に増える。もちろん、１対１のやりとりだけに限らないので、ユーザー増加に伴うコミュニケーションの可能性の増えかたは飛躍的に大きくなる。その結果、より多くのユーザーを持つ少数のサービスに優位性が生まれ、市場占有率が集中する傾向がある。このようなネットワーク外部性は、経済学の標準的な教科書で独占の原因とされるが、このことがまさに起きつつあるのである。[10]

こうした集中化の圧力があるとき、プラットフォーム企業は、一部の市場参加者に対して極めて高い費用を求めることがあり得る。市場に参加する側は、他の選択肢が限られるなかで、たとえ適切な範囲に収まっていないような高価格であっても受け入れざるを得なくなるかもしれない。各国で公正取引委員会のような当局によるプラットフォーム企業への監査が近年報じられているが、それはこうした独占の問題と深くかかわっている。欧州では、あるプラットフォームから他のプラットフォームへと、ユーザー側がサービスを移行できるような仕組みを担保するために、データのポータビリティ（可搬性）の確保を法的に定めている。

10——奥野編著（2008: 227）を参照。

デジタル化がもたらす効果、そして、そのメリットとデメリットは、このように整理されてきている。特に、前述の世界銀行の報告書は、ビジネスモデルという問題を超えて、さまざまな主体へのデジタル化の影響を検討しており、標準的理解を提供していると言えよう。

しかしわれわれは、本書の中で、さらに広い視野でデジタル化の影響を考えてみたいと思う。つまり、ビジネスを含めた通常の経済問題の論点を大きく超えて、組織、所有構造、法と契約、労働と業務、生活と時間まで論点を拡げて検討してみたい。ビジネスモデルとしてのDXとの対比でいえば、より広い論点を含むデジタル技術による社会変革について検討したいのである。

1―2　スマホを何のために使うか?

本書の目的にとって、次の問いが重要である。

デジタル化は人間の本質的な部分にどのように関係するのだろうか。デジタル化によって、人間の生活を支える社会の根幹が揺るがされる。これによって、人びとのあいだのつながり、そして、人びとの思考習慣といったものが影響を受けるかもしれない。そうだとすれば、人間のあり方そのものに何らかの変化がもたらされるかもしれない。デジタル化が人間そのものに与える重大な変化について考えを深めるには、広い視角でこの社会現象を検討する必要がある。[11]

「デジタル化が人間の本質的な部分にどう関わるか」という問いが何を意味するのか、理解しにくいかもしれない。そこで、問いの意味を整理するために、最初に取り上げた「スマートフォン」に立ち戻って考えてみたい。現在、個々人が常にインターネットとつながった世界が到来している。このことに関連して、次の二つの問いを考えてみよう。

①スマートフォンは私たちの生活をどう変えたのか?
②スマートフォンによって私たちの生活はより豊かで意義あるものとなったのか?

一つ目の問いは、人びとの行動の変容、企業や組織の変化について、丁寧にデータをみていくことで、ある程度は答えられるだろう。

実際、ある個人がスマートフォンを使うようになれば、情報端末の利用はその人の行動に影響を与えるし、企業がスマートフォンを活用すれば、その企業の構造に変化をもたらす可能性がある。他方で、逆の因果もあるだろう。つまり、行動が変わることで、スマートフォンが必要になるかもしれないし、企業に新しい制度が導入されることで、仕事用のスマートフォンが必要になるかもしれない。物理学などの自然科学とは異なり、社会科学において因果関係を明らかにする

11——本節での論点は、社会科学の方法論である。方法論一般については、「社会科学の哲学」という分野で広く論じられている。これについては、Risjord(2014)およびRosenberg and McIntyre(2019)などを参照されたい。邦語文献では、吉田(2021)が挙げられる。

ことは難しいが、（デジタル化のおかげで）データも充実してきた現代では決して不可能なことではない。[12] つまり、見えにくいデジタル化の社会的影響を、データを分析することで可視化するのである。

では、二つ目の問いはどのように考えればよいだろうか。

情報によりアクセスできるようになり、生活が便利なものになったとして、それは豊かになったと言えるのだろうか。スマートフォンがなかった時代のほうが、深くゆっくりと考えることができ、より人間らしい生活が送れていた、というようなノスタルジックな主張も少なくない。スマートフォンをめぐるこうした複数の考えのどれが正しいか答えを得ようとして、膨大なデータを入手していくら統計的に分析しても、その答えは見つからないかもしれない。なぜなら、それは本質的に倫理的な問いだからである。そして、この問いはデジタル化の意義を考えるうえで避けられない。社会科学が、自然ではなく社会、そして人間を扱うからこその問題だと言えよう。[13]

第一の問題と第二の問題は、社会的事実を明らかにするという社会科学の課題と、社会のあり方や倫理に関わる問題を検討するという、もう一つの社会科学の課題と関わっている。前者は「事実」に関する課題であり、後者は「価値」に関する課題である。伝統的に、この二つの課題は区別して検討しなければならないとされてきた（Friedman 1953）。[14] 本書でも、両者の違いを極力明示しながら議論を進めていきたい。

しかし、この二つの問題は、奥底のところでつながっていることも忘れてはならない。つまり、事実と価値の問題は、完全に切り離して考えることはできないのである。こうしたことを、デジタル化という特定の現象を通じて明らかにするのも本書の目標である。

つまり、「デジタル化が人間の本質的な部分にどう関わるか」という問いの背後には、次の二つの大きな問題がある。

①デジタル化は、広い意味で社会をどう変えるのか?
②デジタル化によって社会はよくなっているのか?

このような観点を踏まえて、社会の変化と人間にとっての「よさ」とはどのようにつながるのかを、本書を通じてわれわれなりに考えていく。

12――例えばアフリカを事例として、インターネットインフラが整備されることによって、雇用、所得、企業の参入と生産への貢献(因果効果)を実証的に検討し、正の効果を報告した論文として、Hjort and Poulsen(2019)を参照。
13――このような問題意識に関しては、Sen(1987)およびArrow, Monroe, and Lampros(2017)などを参照されたい。
14――Colander(1992)は、事実と価値に加えて、実践という課題の重要性について、経済学の古典を参照しながら論じている。この実践領域は、ジョン・メイナード・ケインズの父ジョン・ネヴィル・ケインズらによって「アート」と呼ばれていた(Keynes 1955)。Friedman(1953)以降は、このアートの領域に対する方法論的関心が薄れていったというのが、Colander(1992)の指摘である。

手始めに、スマートフォンが私たちの時間の使い方をどう変えたのかについて、データを見ながら感触をつかんでみよう。

スマートフォンによって、好きな音楽を聴き、ニュースを知り、友人だけでなく、会ったこともない人の発言に触れて、交流することもできる。搭載されているセンサーを活用して、「今いる場所」にタクシーを呼び、歩きながら地図を見て、待ち合わせの場所に行くことができるようになった。つまり、スマートフォンによって、情報アクセスが改善され、そのサービスを提供するプラットフォーム企業は大規模化している。人びとが1日に触れる情報は格段に増えた。

しかし、その中身はどうなのか。

スマートフォンの利用データを検討してみると、データ量増加の中身が見えてくる。図表1－1は、日本で2016年に行われた調査をもとに、世代別の平日1日当たりのスマートフォンの利用時間を示したものである。1日のスマホ利用総時間は82分で、なかでも10代と20代では2時間を超えている。世代間で大きな差が見られるものの、50代でも1時間弱の利用となっている。10代と20代の若年層では、SNSを見る・書く時間は1時間程度で、他の世代と比べ何倍もの時間を使っている。1日7時間睡眠とした場合には、起きている17時間（1020分）のうち、10代ではその14％を、20代では12・6％をスマートフォンの利用に充てていることになる。

スマートフォンの利用の仕方を世代間で比較してすぐに気づくのは、若年層ではSNS、動画配信サービス、オンラインゲームの利用時間が明らかに長いということである。

図表1-1　スマートフォンの利用時間（2016年、分、平日1日あたり）

（単位：分）

	全年代（N=2140）	10代（N=208）	20代（N=420）	30代（N=492）	40代（N=500）	50代（N=328）	60代（N=192）
メールを読む・書く	19.7	26.1	21.4	19.2	17.3	21.0	13.8
ブログやウェブサイトを見る・書く	16.7	15.2	27.1	17.5	17.3	9.8	3.9
SNSを見る・書く	30.9	72.8	59.0	24.0	19.9	11.4	4.0
動画投稿・共有サイトを見る	9.1	29.2	17.1	6.1	5.0	1.8	0.7
オンデマンド型の動画配信サービスを見る	1.5	0.4	3.8	1.0	1.3	1.3	0.0
オンラインゲーム・ソーシャルゲームをする	15.5	32.2	24.0	13.0	13.7	9.4	0.7
ネット通話を使う	5.1	6.3	16.4	2.7	1.1	2.2	1.0
その他のインターネット利用	5.2	2.7	10.2	5.4	4.3	3.9	1.0
単純合計（分）	103.8	184.8	179.0	88.9	80.0	60.9	25.0
一日のスマホ利用総時間（分、別質問における回答）	82.1	143.5	128.6	72.1	68.0	54.5	23.6

注：各情報行動を同時に並行して行っている場合もあるため、各情報行動の単純合計と１日のスマホ利用総時間は一致しない。

出所：総務省『情報通信白書　平成29年版』ウェブ版第一部第一節データより作成。

10代ではSNSが72分、オンラインゲームが32分、そして動画投稿サイト閲覧が29分となっている。もちろん、SNSを利用し、動画を閲覧することで世界が広がり、オンラインゲームをすることで達成感を得たり、デジタルリテラシーが培われたりすることはあるだろう。しかし、自分と似たような意見を持つユーザーとのやりとりがますます増えるという「エコーチェンバー現象」も指摘されている。また、YouTubeのような動画配信サービスでは、以前にも増して多くのコンテンツが配信されるようになっており、そこには事実と異なる内容を含む配信が含まれていることが報告されている。いずれにしても、一日の中でデジタルなツールを使い、情報に触れ、情報交換をする時間はますます増えている。

このように、デジタル化によって生活様式が大きく変わりつつある。人間としての生活はさまざまな営為によって成り立っている。かつては、公園やカフェ、集会所といった場所で直接会ってやりとりをしたり、電話や手紙によって交流したりするしかなかった。そして、テレビや新聞によって情報を得ていた。しかし、デジタル化によって、それとは別のあり方が急速に広がっている。単に情報を得る手段が変わっただけでなく、人びとの関わり方や時間の過ごし方も変わってきたのである。

デジタルツールの利用は、人びとの認識や志向にも一定の影響を与えている可能性がある。われわれが2020年11月に実施したオンライン調査の結果（調査の概要は巻末補足を参照）からも、そのことが窺える。

図表1-2 デジタル技術の影響に関する主観的認識

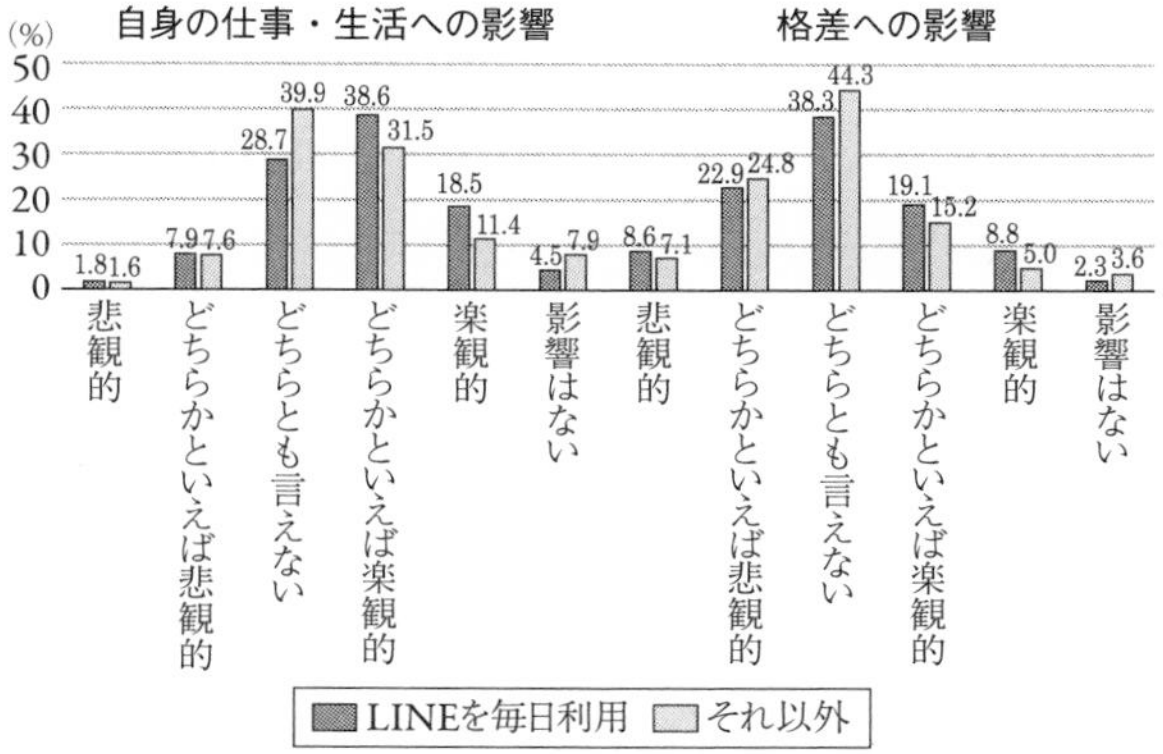

注：筆者らのオンライン調査より。

図表1－2では、デジタル技術の発達がどのような影響を与えるかについて、「自身の仕事・生活への影響」と「格差への影響」とに分けて、回答者に「楽観的」、「どちらかといえば楽観的」、「どちらとも言えない」、「どちらかといえば悲観的」、「悲観的」、「影響はない」という選択肢で答えてもらった結果である。ここでは、ＬＩＮＥを毎日利用している人とそれ以外に回答者を二分した結果を示している。例えば、ＬＩＮＥを毎日使うユーザーの場合、「自身の仕事・生活への影響」では、「どちらかといえば楽観的」と「楽観的」が多くなっている。「格差への影響」については、同じくＬＩＮＥを毎日利用しているユーザーの場合、楽観的な回答が高くなっているのと同時に、「悲観的」という回答も若干高くなっている。ＬＩＮＥユーザーとそうでない人で意識が異なっているのである。

1—3 変容する「人間の条件」

読み解くための補助線としてのアレント

ここまで、スマートフォンの利用やデジタル化が生活と意識にどう影響しているかを見てきた。このような作業を、さまざまなデータを用いて精緻に積み重ねていけば、確実に理解は深まっていくだろう。

しかし、そのことによって、スマートフォンの利用やデジタル化が生活や社会をよくしているかという問いに答えられるだろうか。例えば、デジタル化が生活に与える影響について、楽観的な人が多数に上るのであれば、デジタル化はよい影響をもたらしていると言えるのだろうか。

人びとの主観的な意識に依拠することで、このような問いに答えられるのか。これは、重要な倫理的問題である。例えば、人間の生にとって重要なのは金銭であって、それ以外ではないと多くの人が感じていたとして、それは正しいと言えるのだろうか。このような考えに反対する人も少なくないだろう。それでは、主観的意識を無視すべきかといえば、そうとは言い切れないように思われる。人間は独立した存在ではなく、他者と結びついていることも問題を難しくしているだろう。この結びつきにこそ、倫理的問題を解く鍵があるという主張もある。[15]

本書では、デジタル化する社会における倫理的な問いを考えるために、ユダヤ人哲学者ハンナ・アレントの思想を参考にしていこうと思う。アレントは、人間が生きるということを考え抜いた思想家で、本書のタイトルは彼女の代表作に触発されたものである。

ここでアレントについて、ごく簡単に紹介しておこう。

アレントは1906年にドイツのハノーファー郊外に生まれた。父パウルは工学士の学位を持ち、ギリシアやラテンの古典についても造詣が深く、教養ある人物だった。1924年にマールブルク大学に入学したアレントは、そこでマルティン・ハイデッガーと出会い、哲学に触れる。ユダヤ人への迫害が行われるなか、彼女は1933年にフランスへ亡命し、その後、共産主義活動家であるハインリッヒ・ブリュッヒャーと結婚した。1941年にアメリカへ亡命し、戦後になると、『全体主義の起源』に代表される書物を刊行していく。なかでも、アドルフ・アイヒマンの裁判傍聴記録を独自の観点からまとめ1963年に公表したことで、ユダヤ人コミュニティーから反発を受けた。このあたりのことは映画『ハンナ・アーレント』でも取り上げられている。アレントの議論の中で、本書と最も深く関係しているのは、1958年に刊行された『人間の

15――例えば、「私はAに対してXをすることを約束する」と発言した場合を考えてみよう。これは客観的事実でありながらも、Xをすることの倫理的義務を生じさせ得る。「約束」という行為は、他者との言語理解や社会的共通理解のもとに行われることで、事実と倫理が結びつく可能性を示す代表例である。こうした議論については、Rawls（1955, 1958）およびSearle（1964）を参照されたい。さらに、主観的な意識を重視して倫理的問題を考える極端な立場としては、幸福度を用いた社会的評価を認める研究者が挙げられよう。例えば、Kahneman, Wakker, and Sarin（1997）を参照されたい。これに関する批判的議論については、Fleurbaey, and Blanchet（2013）が挙げられる。

条件（The Human Condition）』である。この書は、人間の「アクティヴィティ」（人として何をするかということ）の本質を問い、デジタル化を考える本書にとって重要な示唆を与えてくれる。アレントにヒントを得ようとすることに違和感を持つ人もいるかもしれない。たしかにアレントとその思想は、デジタル化とは直接的には何の関係もない。だが、デジタル化の「社会的意味」を考えるにあたって、大きな意味を持つように思う。

なぜなら、「人間が生きること」の意味をめぐってアレントが考え抜いたことは、デジタル化の中で私たちが直面する人類的課題と重なる部分があるからである。本書でわれわれは、アレントの思想をいかに正しく解釈するかにはあまり拘泥せず、デジタル化を読み解くための思考方法と考え方とを、彼女の思想から抽出することに挑戦したい。

デジタル化の社会的意味を、アレントの思想からじっくり考えるという作業は最後の章で行うこととし、以下では、アレントの思想にはあまり立ち入らず、われわれが得た考え方を大まかに説明しておきたい。

デジタル化と「人間の条件」

デジタル化は、人間の生に大きな影響を与える。長きにわたって人類は飢えや病気にさらされ、生命を維持するために、苦労を伴う労働に従事してきた。しかし、デジタル化と機械の発達によって、この労働の時間を大きく減らせる可能性がある。この意味でデジタル化は、人類に与えられた果実でもある。人びとのあいだで、この果実をどのように分配するのか。人びとにとってこの果実は、場合によっては毒になったり、その有用性の高さによって、かえって堕落をもたらしたりするのではないか。

このように考えたとき、人びとにとって、デジタル化がよきものとなるには、次の二つの条件を満たす必要があるだろう。

①デジタル化の恩恵を極端な格差なく分配できること
②デジタル化のもとで人びとが真に「豊かな生活」を送れること

人間は、デジタル化によって生じた「余裕」を受け取ることができ、それを自分自身にとって真の充実、あるいは「繁栄（flourishing）」のために活用できたときに初めて、人間らしい人生を送れることになるのである。

ここでいう「豊かな生活」が何であるかは、一人ひとりの生活状況によって異なるため、主観的なものとならざるを得ない。真の豊かな人生について考えるには、アレント（Arendt 1958）の言うところの、自分自身や家族にだけ関わるような問題（私的領域）と、社会の中で他者と関わっていくような問題（公的領域）を、それぞれどのように充実させていくかが重要な鍵となる。デジタル化によって、私的領域と公的領域がそれぞれの人生において、どのように形作られるかを検討する必要があるだろう。

社会に参加する以上、自分や家族以外の人びととの公的領域での結びつきは無視できない。アレントは、人間にとって最も恐ろしいのは「孤立（loneliness）」だと考えていた（Arendt 1951, Chapter 13; Arendt 1958: 58-9〔訳書88頁〕）。周囲に多くの人がいても、自分が独りぼっちだと感じた経験を持っている人もいるだろう。「孤立」は、ドイツ語ではVerlassenheitと書かれ、普通の意味での孤独ではなく、「見捨てられた状態」とも翻訳されている。[16] これは人間的な結びつきがなくなるなかで、他者からも見捨てられ、自分自身からも見捨てられたような状態になってしまうことを指している。「孤立状態」が恐ろしいのは、独りぼっちになり自分を見失うことで、社会で何が起きているかを理解したり、自分のすべきことを思考する力が低下してしまうからである。アレントが言うように、このような「孤立」が全体主義を生み出したのだとすれば、デジタル化はこの社会に一体どのような影響を与えるのだろうか。

ＳＮＳなどを通じて変容していくコミュニケーションのあり方が、人間の生き方や公的領域に変化をもたらすことは間違いない。例えば、ＳＮＳやオンラインツール上でしかつながっていない関係も、いまやそう珍しくはないだろう。このようなコミュニケーションの変容は、公的領域への私たちの参加のあり方とどのように関係しているのだろうか。結局のところ、それは人生を豊かにするのだろうか。

われわれが考えたいのは、デジタル化時代における人生の豊かさという、人間そのものを規定する「条件」なのである。

1―4　本書の構成

以下の五つの章では、人びとの生活、それを取り巻く法律、そして生活に欠かせない経済活動をめぐるデジタル化について検討しながら、その社会的意味を考えていく。各章の論点を整理しておくと次のようになる。

第二章では、デジタル化が経済にどのような影響を与えるのかを問う。重要な論点となるのは、プラットフォームと情報の所有の問題である。デジタル化によって、売り手と買い手を仲介するプラットフォーム企業が台頭した結果、消費者や生産者はプラットフォームに対して、ますます多くの情報を提供することとなった。ここで考えるべき根本的な問題の一つは、個人の情報は誰のものか、ということである。ますます多くの情報をプラットフォームが収集することで、その

16――アレントは、一人になることを多角的に捉えており、日本語の「孤独」に該当する概念を三つ導入している。それらは、①loneliness（Verlassenheit）、②solitude（Einsamkeit）、③isolation（Isolierung）である（カッコ内はドイツ語）。これらに完全に定まった訳語はないため、混乱しやすい。簡単に言えば、solitudeは自分と向き合うための孤独、isolationは政治から切り離されたことによる孤独、lonelinessは自分を含めた全てのものから切り離された孤独である。これらの詳しい区別については、Arendt（1951）、川崎（2014）、日本アーレント研究会編（2020）などを参照。本書では、lonelinessだけを扱うが、「孤立」と呼ぶことにする。

参加者たちは個人情報をプラットフォーム企業から「搾取」されかねない。そこで第二章では、「自分自身を自分が所有している」という自己所有権の考え方から、この問題を検討していく。

第三章では、デジタル化は法のあり方にどのような影響を与えているかを問う。デジタル化によって、法の運用や内容はどのように変わりつつあるのだろうか。法の専門職においても自動化は進んでおり、裁判官や弁護士がＡＩに取って代わられる日も、やがて訪れるかもしれない。またデジタル化は、データをめぐる法的な権利についての議論を巻き起こしている。さらに、ヴァーチャルな言論・交流空間の拡大によって、人びとが個人的な生活を営む私的領域と、他者との意見交換を行う公的領域との区分について再考を迫られるようになっている。

第四章では、デジタル化が社会を不平等にするかどうかを検討する。デジタル化によって、ますます多くの業務が機械に代替されるようになっている。このような構造転換が進むなかで、経済活動、そして働き方はどうなっていくのだろうか。経済学では、高い技能（スキル）が求められる職種の需要がより高まる傾向にあることが指摘されてきた。そしてこの変化は、不可避的に人びとのあいだの所得格差を広げてしまう。近年の実証研究を視野に入れると同時に、アレントの「労働」概念にも引き付けながら、デジタル化が労働市場に与える影響を検討していく。

第五章では、デジタル化が人びとの余暇にどのような影響を与えるのかを問う。日常生活における人びとの時間の使い方は、デジタル化によってどのように変わってきたのだろうか。この章では、人びとの時間の使い方を、人間にとって生理的に必要な睡眠や食事などのための時間、仕事に代表される社会・経済的な時間、その他の余暇時間に分けて、デジタル化の影響を検討する。国際比較を通じて明らかとなるのは、日本人の余暇の過ごし方が、私事性を強く持っていることである。そしてインターネットを通じた活動の可能性が広がるなかで、デジタルツールを積極的に活用する人は、なにかを制作したり、他者と交流したりするような経験をより多く持っていることも明らかになる。

これらの点は、すでに述べたデジタル化の恩恵をどう分配するのか、そこで得た余裕をどう使うのかという問題と密接に関わるとともに、公的領域と私的領域のあり方の問題でもある。アレントは、人との関わりこそが政治であると見なしていた（Arendt 1958:7）。第六章では、生活・経済・法という三つの主題を通じて、アレントが言う意味での「政治」を問うという課題に取り組む。そこでは、デジタル化時代の「人間の条件」とは何かを検討する。ここでは、アレントの「政治」（より広くは、アクティヴィティ）の考え方が、これから変化していく社会において、倫理的問題を考える上での補助線を与えることを論じてみたい。

第二章

デジタル化と経済

2-1 経済組織とプラットフォーム

「デジタル化は経済にどのような影響を与えるか」というのが本章の問いである。この問題は、デジタル化が取り上げられる際に最もよく取り上げられるものである。先進国で停滞する経済成長を取り戻すための救世主と思われているところもある。また、スマートフォンなどのデジタル・デバイスを通じて行うことのうちで、経済活動は大きな部分を占めている。ここでは、より一般的な経済原理の観点からこの問題の背後に潜む問題を抽出して、踏み込んだ議論をしてみたい。

デジタル化した社会において、人びとは膨大な量の情報を処理することとなる。経済活動に着目すると、1人の個人は消費者、そして労働者として立ち現れる。デジタル化はその両面に本質的な影響を与える。消費者としては、インターネットを通じた購買や映画・音楽といったコンテンツの視聴は、新しい生活の一部となっている。他方で労働者としては、コンピューターや業務自動化のためのソフトウェアを日々利用している。新型コロナウイルスの影響もあり、オンラインツールを活用した在宅勤務も一般化した。これから何が起こるのだろうか。

本章では、現代の経済社会で中心的な役割を果たしている「企業」という存在に注目することからはじめたい。

われわれの理解に基づけば、デジタル化の影響は、次のように経済社会全体へと広がっていくだろう。デジタル化は、市場での取引や企業のマネジメントのあり方を大きく変え、20世紀型企業とは異なる原理を持つプラットフォーム企業を、経済の中心的な存在へと押し上げる。これらの巨大な企業の登場は大きな社会発展をもたらす一方で、労働者の受け取る所得は押し下げられる。これは、産業革命の時代に見られた19世紀的な労働者の搾取に似ているが、それとは異なる構造によって、新たな搾取を生んでしまうかもしれない。それは「情報の搾取」と呼びうる事態である。そのことが、人びとと企業の関係を変えてしまう恐れがある。

こうしたなかで社会制度は、人間の持つ「自己」の尊厳を守るよう再構築されなければならない。これはデジタル化に直面した社会の大きな課題である。われわれは、本章の最後で、自己の尊厳をめぐって、その根源的な意味を考えてみたい。自己の尊厳という問題は、ジョン・ロック（John Locke）やアダム・スミス（Adam Smith）といった啓蒙時代の思想家たちが、近代社会の成立過程で発見したものであり、それはカール・マルクス（Karl Marx）を代表とする資本主義の批判者たちに引き継がれていった。彼らは、たとえ他者と切り離されても存立できる主体的・自律的な自己を持っているという、ある種の個人主義を議論の前提に置く。孤立した自己に人間の価値を見出すことの倫理的妥当性を問い直すというのが、情報の搾取の問題に加えて本章で考えたい課題である。

デジタル化が「企業」を変える

デジタル化が経済に与える影響を考えるには、企業とは何かという問題を理解する必要がある。[1] なぜなら、デジタル化は企業という存在を根底から変化させ、その変化が社会へと広がるからである。

企業は、ある意味でミステリアスな存在である。企業は、市場の中で経済活動をするが、完璧で純粋な市場社会においては存在する意味がない。市場が完全に機能しているとすれば、いかなる設備投資でも、どのような労働でも、瞬時に市場を利用して調達することができる。そのため株式市場や債券発行といった複雑な資金調達の仕組みも、特殊技能を持つ人材との長期的な雇用契約も不要となるのである。つまり、企業は組織だったものにはなり得ない。

では、なぜ企業は現実に存在するのか。ロナルド・コース（Ronald Coase）によると、市場が完全ではない、というのがその理由である（Coase 1937）。実際に市場を利用するためには、何らかの費用を払わなければならない。こうした費用は「取引費用」と呼ばれる。例えば、契約相手を見つけ、契約を結ぶというような作業がその一例である。企業が労働者と逐一やりとりをして契約を結ばなければならないとなれば、膨大な取引費用がかかる。これを節約することが、企業が自らの組織をつくることの意味なのである（Coase 1937）。

もちろん、組織をつくること自体に費用がかからないわけではない。組織経営には対価を払わなければならず、労働者が適切に働くように組織をデザインするためには工夫が必要となる。このような組織デザインの費用と、市場で取引する費用の影響を受けながら、企業はその姿を変えていくのである。[2]「企業の理論」をここで説明せざるを得なかったのは、デジタル化が市場取引の費用と組織デザインの費用という、企業の根源的部分に大きな影響を与えるからである。それゆえに、企業は自らのかたちを変えていかざるを得ない。経済のデジタル化の本質の一つは、この点にあると言えよう。

プラットフォーム企業の本質

経済の問題を考えるにあたって、決定的に重要な概念が「費用」である。先ほど企業理論について説明したが、そこでは取引費用やデザインの費用が何を意味するのか、明確ではなかった。だがそれは、ある種の必然と言わねばならない。なぜなら、経済分析において費用というものは、「(人間が)合理的存在であれば、それを節約したくなるようなもの」というような抽象的なかたちで理解されるからである。

1——企業とは何かという問いについては、古くから論争がある(岩井 2000)。特に、株式会社の所有の問題をめぐっては岩井(2009)で論じられている。

2——Williamson(1975, 1979, 1996)は、Coase(1937)をさらに発展させ、取引費用がどのように組織を形づくるかを、さまざまな角度から議論している。Milgrom and Roberts(1992)は経済制度の補完性を重視しながら、コースやウィリアムソンの議論を理論的に洗練化させている。伊藤・小林・宮原(2019)は、より近年の論点を取り入れながら、組織の経済分析を理論的に明快にまとめたテキストブックである。

つまり、金銭を支払うようなものだけが費用として捉えられるわけではない。例えば、無駄な時間を過ごすことや、大きな利益を得る機会を失うことなどは、実際には金銭を支払うわけではないが、合理的に判断するならば避けたいものである。ここでは費用全般を、こうした場合も含まれるものとして考えることにしよう。

21世紀に入って躍進しているAmazonやGoogle、そしてAppleといった企業は、広い意味での費用を節約するという点で、大きな価値を持つ。こうした企業の役割は、人びとが出会うような「場」を提供していることにある。新しいシャツが欲しいと思ったとき、街の中の店舗を一つ一つ訪ねて気に入ったものを探すのは、それ自体が喜びであるということを除けば、大変な負担となる。アパレル製品のオンラインモールであるZOZOTOWNには多くの企業が商品を提供しており、消費者が街の中を移動して探す必要はなくなり、スマートフォン上でサイズや色を選択するだけでよい。そこでは、多くの消費者が多くの企業と出会う「場」、すなわち、プラットフォームが提供されている。AmazonやGoogle、そしてAppleといった現代的企業は、何らかの意味で、人と人、企業と人、企業と企業といったものが出会うためのプラットフォームとなっているのである。

こうした「場」を提供する企業は、「プラットフォーム企業」と呼ばれている。楽天、Netflix、Uberなどは、こうしたプラットフォーム企業の典型である。その本質的な特徴は、プラットフォーム上の売り手が多ければ多いほど、買い手にとって便利なものとなるし、買い手が多ければ多いほど、売り手にとっても魅力的なものとなるという点にある。さらに、買い手が増えれば、レヴュー（取引相手による評価）など参考にできる情報も増えるので、他の買い手にとってもありがたい。プラットフォームへの参加者が増えれば、共有できる情報が増大し、結果としてそのことが取引費用を引き下げる。ここにプラットフォーム企業の本質がある。こんにちでは、日常的に処理する情報量が格段に多くなったため、このようなプラットフォームを利用して、費用を引き下げることの価値が増したのである。

一方で、経済学者のジャン・ティロール（Jean Tirole）は、ある重要な問題を指摘している。彼によれば、インターネット上のプラットフォーム企業と消費者のあいだの、利用許諾に含まれるデータに関する契約は、本質的に「不完備」なものとなっている。契約とは、起こり得ることを、事前に想定しながら取り決めを行うことに他ならない。ここでいう不完備性は、実際には起こりうる事態について、契約の取り決めで対応しきれないような場合があることを指す（Tirole 2016）。

インターネット上のプラットフォーム企業は、ユーザーの情報を用いる際に、情報に関する契約を結ぶ。しかし、私たちは、そのデータがどのように扱われているのか、扱われていくのかについて明確には知らない。サービスを利用しはじめる際に表示される長文の利用規約にはさまざまな決まりが記載されているものの、一つ一つのデータ利用を特定化した契約とはなっていない。企業は、個々人の過去のウェブサイト閲覧履歴や位置情報、性別や生年月日といった登録情報など、さまざまな個人情報を手に入れる。近年では、音声情報や顔写真に代表される生体情報に加えて、どのような情報をフォローしているかによって個人的嗜好を推測することも可能になってきた。これら大量の情報をどう扱うかを完全に記述することは、およそ困難なのであって、契約には曖昧さが残されている。

このような契約の不完備性それ自体が費用だということには注意が必要である。契約の不完備性は、それが特定していないような事態が起きたとき、契約した個人にとって不利な事態を招くかもしれない。これは、消費者にとってはできるだけ避けたい、ある種の費用の発生を意味する。つまり、プラットフォームの登場が、情報を探すための費用を軽減する一方で、別の費用を生んでいるのである。このため人びとは、費用に関するトレードオフに直面しなければならなくなっているが、このトレードオフはデジタル経済の必然であり、その本質だと言えよう。

2-2 自己所有権命題と情報搾取

人間は自分を所有する

個人のプライバシーに関わるような情報は、いったい誰のものなのだろうか。ティロールによれば、「生データの所有権は提供した本人に帰属し、処理済みデータの知的財産権は処理をした企業に帰属すると考えるのが自然」(Tirole 2016: 545〔訳書450頁〕)である。それぞれの顧客の性別や年齢、そして住所といった情報を企業は手に入れることがある。こうしたデータを企業が手に入れたとしても、それは個人のものなのである。一方で企業は、入手したデータを加工し、新たな情報を作ることができる。例えばそれは、どのような層の顧客がどのような需要を持っているかといったものである。あるいは、クレジットカード会社であれば、どのようなパターンでの利用が、詐欺や盗難と関わる蓋然性が高くなるかといったノウハウを、データをもとに作る。こうしたデータの加工を通じて得られるノウハウは、クレジットカード会社のものだといえる。しかし、その大本になっている、身長、性別、住所、嗜好、個人の体験といった人びとの個人情報は各人のものでなければならない、というのがティロールの主張である。

つまり、個人の情報あるいはデータそのものは、あくまでその個人の「所有物」なのである。[3] 所有という概念は、社会科学において最も重要な概念の一つである。それが、哲学的問題にとっても極めて重要であると指摘したのは、ジョン・ロックである。ロックの社会契約論は近代国家のあり方に大きな影響を与えたが、彼の思想の根源には、所有における興味深い論理がある。近代国家において人びとは、自分で自由に処分できる財を所有することが認められている。このような財を所有するということは、一体どのような根拠によって認められるのだろうか。言い換えれば、不可侵の所有権は、どのように正当化されるのだろうか。これがロックの考えた問題であ

3――ここでの「所有」概念は、現行法上の所有権とは必ずしも一致しない。個人情報やデータが法的にどう位置づけられるかについては第三章で扱う。

る。

この問いは倫理的なもの（もっと言えば、政治哲学的なもの）である。ロックが示そうとしているのは、「いかなる国家であっても、個人の所有物を勝手に利用してはならない」という主張である。このような行為の禁止についての命題は、ただ事実を記述するものではなく、特定の行為をすることが正義に反すると主張するものである。

ロックは、今や近代国家にとっての常識とも言えることをどのように示そうとしたのだろうか。ロックは、人間という存在が自分自身を所有しているということを認めることによって、財の所有の問題も解けると考えた。次の文章は『市民政府論』（Locke 1690）からのものである。[4]

> 大地と、人間より下位の被造物はみな、万人の共有物である。一方、個々の人間は身体という財産を所有している。本人を除けば、何人《なんぴと》もこれに対する権利を持たない。身体の労働と両手の作業は、当然のことながら本人のものと言える。何かを、それを取り巻く自然状態の中から取り出すとする。取り出された物には、人間の労働が混入し、その人間のものが付加されたことになる。その結果、取り出された物は、取り出した人間の所有に帰する。
>
> （『市民政府論』、角田安正訳、47―48頁）

ロックの考えの背後には、人間は自己を所有しており、それは不可侵のものであるという前提がある。もし、このことを認めるとすれば、ある個人が自らの肉体を用いた労働によって生産したものは、その個人の所有物となるというのがロックの議論である。

土地はもともと人間にとっての共有物だとロックは考えている。開墾して利用できるようになることで、土地は初めて利用価値のあるものとなるが、その時、その土地は開墾という労働を行ったその個人のものになる。また、誰のものでもない森の中に入り、木の実を拾ったとすれば、木の実を拾うという労働によって、その木の実に対する所有権が生じるのである。

このロックの考え方は「労働混合説」と呼ばれる。つまり、もともと個人が所有する肉体を動かし、土地や木の実といった自然と、その個人の労働が混じり合うことによって、もともとは共有されていた自然物が、この個人のものへと変わるという考え方である。労働を通じて、ある個人がその財からの利益を享受し、それを自由に処分できるようになるのである。労働混合説には批判も少なくないが、大きな影響を与え続けている考え方である。

ところで、この考え方の根本にある、人間は自己を所有する権利を持つという理念のことを、現代の政治哲学者たちは「自己所有権（self-ownership）」と呼ぶ（Cohen 1995; Vallentyne, Steiner, and Otsuka 2005）[5]。この権利がどこまで及ぶかは、決して自明なことではないが、現代社会において

4——この文章の中でロックは、土地を一義的な財産と捉え、それ以外の物を、その土地から生まれた二義的なものとして理解している。

は、かなり広い範囲まで自己所有権を適用すべきなのではないかとわれわれは考えている。つまり、身体に関わる情報、個人の体験に関する情報も、その個人が持つ固有のものであって、その個人の所有物と見なされるべきではないのか。ここから、自己所有権の一部として、個人データの所有権が導かれる。

この立場から考えると、プラットフォーム企業が、企業活動の中でどのような契約を個人と結んだとしても、企業が得た個人の情報の本質的な部分はその個人に帰属しなければならないことになる。それは、近代国家において強制労働や奴隷制が許されないのと同じ原則、すなわち自己所有権に基づくのである。

われわれの考え方では、自己所有権が実効的であるべき自己の範囲は時代に応じて変わる。かつては、自己所有権の中核的な意味合いは、労働を生み出す身体そのものを人びとが自分自身で持っているということだった。個人の情報は、それを企業が所有しても、市場価値を生み出すうえで有用性に乏しかったために、自己所有権によって保護する必要はなかった。ところが21世紀に入り、プラットフォームが重要になるなかで、人びとの情報を持つことが、市場を支配するための鍵となった。それによって、個人情報は自己の一部であるべきという理念が重要なものとして浮かび上がってきたのではないだろうか。

マルクスの「搾取」概念

ここで、情報に関する契約の不完備性と自己所有権の問題から、21世紀の新しい搾取のかたちが示せることを論じていきたいと思う。

マルクスにとって、搾取は最も重要なトピックの一つであった。マルクスは自身の理論の科学性を強調するが、その根幹においては倫理的関心を持っていたと言ってよい。むしろ、マルクスの理論はある種の正義の理論だと考えることもできる。[6] マルクスは『資本論』の中で、資本家が必然的に労働者を搾取することを示した（Marx 1867）。

ロックによる所有権の理論では、人がいかにして、富を自分のものだと主張できるのかを述べている点に注意しよう。ロックの理論に基づけば、誰のものでもない土地を自分の労働によって開墾すれば、その人はその土地の所有権を得ることができる。そして、開墾を重ねていくことで、資産を蓄積していくことができる。資本の蓄積は富の格差を生み出す。富める者は資産家となり、

5――この自己所有権論は、現代のリバタリアニズムの中心的なテーマである。この章の主たる議論の一つは、自己所有権論のデジタル化の文脈への拡張である。自己所有権の議論は、Nozick（1974）をめぐって、Cohen（1995）が論じはじめたことに端を発する。邦語の文献としては、井上（2017）が、自己所有権をめぐる諸問題を丁寧に議論している。第三章で見るように、現代の法においては、所有権は「有体物」に関わる概念として定義されるので、自己所有権は通常の意味での所有権ではない。

6――Rawls（2007）は政治哲学史の講義録において、マルクスがどのように正義の構想を持っていたのか検討している。マルクスの倫理的・規範的な側面についてはさまざまな読み方があり得るが、ロールズの解釈は、現代的な思想の文脈において極めて有用な参照点となる。また、マルクスの著書のなかでも、『資本論』（Marx 1867）と『ゴータ綱領批判』（Marx 1875）は、彼の規範的構想を理解するために重要な文献である。

企業を所有したり経営したりすることで、収益を得ることとなる。一方で、富の蓄積に失敗し、自らの労働からしか収入が得られないような、富を持たない労働者となる者も出てくるだろう。

世界は無限ではなく、人びとが得られる財には限界がある。開墾によって土地が得られることが正当なことであるとしても、現代において誰のものでもない土地などほとんど皆無である。それゆえ、何も持たない人が生産活動を行うためには、誰かに雇用されるほかない、ということになる。

大きな資産を得た人が生産のための設備を持ち、労働者を雇用するとしよう。この人は労働者を使役して生産されたものを販売することで、さらなる富を得ることになるだろう。資本家はこの富の一部を新たな生産設備の拡充に利用できる。他方で、資産のない労働者は、労働者として働き続けるしかない。

では労働者は資本家になれるのだろうか。もちろん、その可能性はある。余っている土地があれば、そこで労働することで、自らの資産あるいは資本を生み出すことができるかもしれない。しかし、そこでは自然の有限性が大きな制約となる。誰のものでもなく開墾すれば自分のものにできるような土地は、極めて特殊な場合を除けばもはや地球上に存在しない。結果として労働者は、資本家を介してしか資本にアクセスできなくなるのである。

このように、資本主義社会が発展していくと、自然への平等なアクセスは困難となってしまう。事実、私たちは、いくら周囲を見渡しても、誰のものでもない土地を見つけ出すことなどできない。資本家に雇用された労働者は、資本家が所有するところの資本に、自身の労働を混ぜることで財を生産している。マルクスと、彼の議論をより分析的に議論したマルクス主義者によれば、このような労働者が受け取る賃金の水準は、その人が自由に資本にアクセスできた場合に比べて低いものとなってしまう（Marx 1867; Morishima 1973; Roemer 1982）。資本へ平等にアクセスできた場合に受け取るべき本来の価値の水準と、実際に受け取る賃金の価値の乖離こそが「搾取」だと考えることができる。

マルクスの搾取にはさまざま解釈があり得よう。しかし、それは基本的に次のような形式をとることになる。

＊《搾取》＝《本来受け取るべき価値》－《実際に受け取っている価値》

この搾取の一般形式（＊）が示すのは、「本来受け取るべきもの」について、マルクスは何らかの構想を持っていたということである。こうした構想には、どうあるべきかという倫理的、あるいは規範的な価値観が不可欠であり、それに依拠するマルクスの論証も、倫理的／規範的なものと理解することができるのである。

資源配分に関するマルクスのこの構想は、所有に関する考え方を基礎に置いているという点で「ロック的」なものでもある。[7] 私的所有権が広く制度化され、生産手段へのアクセスが偏った資本主義社会のもとで、それぞれの労働者は、生産活動に参加した対価として賃金を受け取っている。もし仮に、生産手段が共有されている状態であれば、この個人は、それまでと同じ労働を提供したときに、どれほどの財貨を受け取っただろうか。このような仮想的な問いが、《本来受け取るべき価値》を構成することになる。《本来受け取るべき価値》は、マルクスがどれほど否定しようとも、非資本主義的ユートピア状態に対応し、《実際に受け取っている価値》は、資本主義社会という現実と対応している。つまり、ロックの所有権を完全に否定した場合と、それを完全に認めた現実とがいかに乖離しているかが、搾取に基づくマルクスの正義の概念の中心にある。マルクスのこの理論は、ロックの所有権概念に依拠した議論と言える。しかし、その倫理的意味づけは全く異なる。ここで示した解釈においては、マルクスは、ロックにおける論理の枠組みを受け入れる一方で、その枠組みを利用する仕方を修正しているのである。

マルクスによるこの規範理論の特徴は、それがある種の機会の平等に関する理論となっているとみなせる点にある。つまり、発展した資本主義社会における労働者が、そうでない社会と比べてどのように機会を奪われているかに目を向けているのである。機会の平等論としてのマルクスの規範理論は、一般的に理解される「結果の平等論」とは大きく異なる。[8] 生産の結果として生じる所得の不平等は、機会の平等論にとっては本質的問題とはならない。それは努力の違いによるかもしれず、そのような違いによって生まれた所得差はなんら不正義ではないのである。

21世紀における機会の不平等は、デジタル化によってどのように変化するのだろうか。そこでは、機会の不平等についてのロック＝マルクスの規範理論を更新する必要があるのだろうか。次にこうした問題を考えてみよう。

労働分配率とプラットフォーム企業

マルクス主義的観点から言えば、資本主義社会において搾取が起こることは、労働者が賃金という対価を受け取ることによって隠蔽されていた。現代社会でこのような労働搾取は起きているのだろうか。労働分配率（所得シェアまたは労働シェア）に着目することで、いくつかのことを語ることができる。労働分配率とは、労働者が受け取る所得の国内総生産（ＧＤＰ）に占める割合のことである。簡単に言えば、平均的に企業が生み出した収益のうち何割が労働者の手に渡るのかに対応する。マルクスが論ずるところの資本家や、現代における株主が受け取る割合が増えれば、労働分配率は下がる。

7――機会の平等、つまり、自己所有権を認める立場としての、マルクス解釈は、Cohen（1995）によって説得的に提案された。Rawls（2007）もマルクスを論じる際、かなりの部分で、この解釈によって分析を進めている。だが、この解釈が唯一あり得るものというわけではない。

8――解釈は分かれるところもあるが、機会についてのマルクスの考え方については、『ゴータ綱領批判』（Marx 1875）が参考になる。

労働分配率については、多くの国々において長期にわたって安定していることが指摘されており（Kaldor 1957）、この点についてジョン・メイナード・ケインズ（John Maynard Keynes）は驚きを持って「奇跡的」なものだと形容している。その後、労働分配率は１９８０年頃まで60〜70パーセントの水準で安定的に推移し、資本家や株主に対して労働者は安定した立場にあった（Solow 1958; ILO 2015）。ところが１９９０年代以降になると、労働分配率が低下する傾向を見せるようになってきた（Autor et al. 2020ab）。

その背後にあるメカニズムをめぐっては、経済学者のあいだでも完全な合意はない。一つの説明として、プラットフォームの重要性が増してきたことが挙げられる。プラットフォーム企業の重要な特徴として、プラットフォームへの参加者が多ければ多いほど、消費者にとってのプラットフォームの価値が上がるということがある（ネットワーク外部性）。プラットフォームで何か商品を探しているとしよう。そのプラットフォームに出品している店が多ければ、より多くの商品に容易にアクセスできる。そして、たくさんの消費者が参加していれば、どの商品が良いかの判断材料を、レヴューからより多く得ることができるだろう。プラットフォームが大きければ大きいほど、消費者にとってプラットフォームは価値あるものになるのである。

こうした特徴によって、プラットフォーム企業は巨大化していく。その一方で、中途半端なプラットフォームは消費者にとって魅力に欠けるため、駆逐されていく傾向が生まれる。有力なプラットフォームを構成することに成功した企業は、巨大な「スーパースター企業」になっていく。

このようなスーパースター企業では、労働シェアが低くなる傾向がある（Autor et al. 2020ab）。なぜなら、企業の規模が大きくなるほど、1単位あたりの生産に必要な労働が減ってくるからである。つまり、労働を節約できてしまうのである。なかでもプラットフォーム企業は、その特質によって労働を節約しやすい。結果として、労働者にとって不利な状況が生じ始めていると言える。デジタル化やネットワーク経済が発達することによって、ある種の搾取が起きていると言えるだろう。

このような労働分配率の低下は、19世紀における労働搾取の復活と見ることができるかもしれない。しかし、それはマルクスの考えたような論理とは異なるものとなる。

2-3　ロック＝マルクスを超えて

新しい搾取のかたち

情報に関する契約には本質的な不完備性があるにもかかわらず、情報アクセスの重要性が高まっており、プラットフォーム企業はその規模を急速に拡大させてきた。

プラットフォーム企業が大規模化することはある種の必然である一方、プラットフォームの持つ情報収集的特性には注意を払う必要がある。プラットフォームに参加する人びとにとって、その利便性は、情報をスムーズに収集できる点にある。プラットフォームでは、参加者が情報を提供しあうことが多い。人びとから多くの情報を集められることは、魅力的なプラットフォームを構成するための条件となる。こうした仕組みを知ってか知らずか、いずれにせよ参加者は、個人的な情報を企業に収集されてしまう。

自己所有権の概念を現代的に解釈し、拡張して考えれば、個人の身体、性格、子どものころからの体験といった個人情報は、その個人に帰属すると考えるのは自然である。つまり、個人の情報とは、本質的にその個人の「自己」を形成する一部なのであって、企業が自由に処分していいようなものではない。[9] これは「拡張された自己所有権」と呼びうるものである。

しかし、インターネット上のプラットフォーム企業は、その存在理由からして必然的に多くの個人から情報を手に入れてしまう。個人の好みや年齢、位置情報などに基づいて、その人が最も欲しいと思う商品を提案するようなプラットフォーム企業のサービスを利用するには、それらの情報を提供しなければならない。だが、情報について個人が企業と契約を結ぶのは難しく、たとえ結べたとしても、それは不完備なものとならざるを得ない。このため企業は、手に入れた情報を個々人にとって不利になるようなかたちで事後的に用いてしまうかもしれない。

これは、プラットフォーム企業が悪であるとかいった問題ではない。それは、情報を価値の源泉とするような経済の必然的帰結というべきものである。もっと言えば、プラットフォーム企業は、企業活動を通じて、経済、そして社会に大きな発展をもたらす存在でもある。そのうえで誤解を恐れずに言えば、「情報の搾取」が起きていると言ってよいかもしれない。マルクスの労働搾取の概念に遡って述べれば、自分自身できちんと情報を管理できているような状態で個人が得られる価値の総額を「本来受け取るべき価値」とし、実際にその個人が受け取っている価値との差分を考えればよい。このような差分を、その個人における情報の搾取分として理解できる。このような意味での情報の搾取が起きてしまうというのが、デジタル化が持つ大きな問題点の一つと言えよう。この問題の深刻さは、それが大きな搾取になり得るということだけでなく、人びとに気づかれにくいという点にもある。

このことが人びとに気づかれにくいのは、おそらく、私的財の持つ「競合性」や「排除性」という性質を、財としての情報が満たしていないからである。競合性とは、ある個人がある物を消費すると、ほかの主体はそれを消費できないことを意味する。排除性とは、ある人が財を所有していれば、他の個人がその財を利用することから排除できることを意味する。パンを例にとって考えてみよう。もしある人がパンを食べたとすると、ほかの人はそのパンを食べられないことから、競合性と排除性を満たしていることがわかる。

それに対して情報の場合、こうした性質を満たさない。

「個人Aは30歳である」という情報について考えてみよう。この情報は、インターネットを通じ

9——ここではマルクスの搾取概念を中心に説明しているが、その実質はOtsuka（2003）を代表とする左派リバタリアニズムの拡張と見ることができる。また、責任を基礎として機会の平等を分析するFleurbaey（2008）の応用と見ることもできるかもしれない。

て世界中の人びとと共有できる。このことは競合性が一切満たされていないことを意味する。排除性はどうだろうか。人は誰しも、何かしら秘密を持っている。その秘密は自分が他人に言わない限り、誰にも知られないという意味で、排除性が満たされているように見える。しかし、二つの点に注意しなければならない。多くの秘密は自分だけのものではなく、すでに他人が知っていることが多い。秘密を守ると約束することはできるが、他人が話してしまうかもしれない。また、排除性は不可逆的なものとなってしまう。一度、ほかの人が知ってしまうと、その情報を相手の記憶から消すことはできない。特に、現代のようにインターネットで一度情報が拡散してしまうと、排除性を満たすことは困難である。例えば、過去に逮捕歴があるという情報は、自分にとってはなるべく他者に知られたくないことだろう。しかし、友人がインターネットで検索して、別の友人とその情報を共有することを防ぐのは不可能に近い。この意味で、情報についての完全な排除は極めて困難なのである。

これは情報が公共財的な性格を持っていることを意味する。さらに、ケネス・アロー（Kenneth Arrow）は、知識としての情報は「不可分性」と「不確実性」という性質を満たすことが多く、通常の公共財よりも一層複雑な影響を与えることを指摘した（Arrow 1962）[10]。すなわち、多くの場合、物質的な財のように分割して利用することが困難であり、将来、どのような事態が生じるかをあらかじめ明確に知ることも通常は難しいため、何らかの情報を手に入れても、その意味や意義を完全に理解することはできないのである。例えば、「個人Aは30歳である」という情報は、固有名「A」と「30歳」が不可分に結びついており、「誰かは30歳である」というようなかたちで、部分的にこの情報を知ったとしても、その情報の本質は失われている。また、「個人Aは30歳である」という、もともとの情報を手に入れたところで、その利用方法の全てを理解することはできないだろう。

こうした性質ゆえに、情報の搾取は労働の搾取に比べてより隠蔽されやすいのである。自分自身の身体情報や嗜好についての情報が企業の手に渡っても、その影響は判断しにくい。自分自身がその情報を文字通りの意味で「失う」わけではない。依然として自分は、自らの身体や嗜好のことを知っている。しかし、プラットフォーム企業が私個人の情報を手に入れた場合、その企業はその情報を活用しようとするだろう。

情報の搾取は見えにくいからこそ、このような搾取を防ぐための何らかの方策が必要なのである。2018年からEUでは、一般データ保護規則（GDPR）が適用されはじめた。これはEUにおける個人情報の保護を目的としており、その背後には個人データの所有権は人権の一つであるという考え方が強くある。こうした動きは、「個人のデータを個人のもとに」という運動の一つとして捉えることができよう。そこには、「忘れられる権利」や、データのポータビリティ

10——情報のこのような特質によって、一回一回その場限りの短期契約に基づく市場取引だけではなく、雇用をはじめとする長期契約を含めた経済組織を必要とするということを、ケネス・アローは『組織の限界』という著書で論じている（Arrow 1974）。

（可搬性）も含まれている。ＧＤＰＲは、ＥＵ圏内に住む全ての個人の情報に適用され、圏外の企業がＥＵ圏内の人びとの情報を扱う際にも効力がある。そのため、FacebookやWhatsAppといった、ＥＵ圏でプラットフォームを提供する域外の企業と係争が起きている。

ロック＝マルクス的自己所有の倫理を超えて

ロック＝マルクス的視点から、デジタル化社会における情報搾取の問題を考えてきた。そのうえでアレントの次の言葉を取り上げてみよう。

> ロックは、私有財産を、存在するもののうちで最も私的に所有されているものの上に築いた。
> （Arendt 1958: 111［訳書１６８頁］）

「最も私的に所有されているもの」とは、言うまでもなく個人の肉体である。個人に完全に帰属する自己としての肉体を動かすことでなされる「労働」が、財産を生み出す唯一の手段であるとするところにロックの出発点がある。アレントによれば、このロックの所有権の理論はスミスやマルクスに引き継がれ、近代社会において支配的な考え方を形づくった（Arendt 1958: 101［訳書１５７頁］）。そうした認識を示したうえでアレントは、次のような批判を投げかけている。

ロック以下そのすべての後継者たちが、十分な英知をもっていたにもかかわらず、労働は財産、富、すべての価値の起源であり、結局は、人間の有する人間性そのものの起源であると考え、このように頑固に労働にしがみついていたのはなぜかという疑問が起こってくる。

（Arendt 1958: 105［訳書161頁］）

ロック、スミス、マルクスといった思想家たちは、人間が他の人びとから孤立した「自己」を持っているという前提に立ち、その自己の中に人間の本質を見出すことができると考えていた。われわれが本章での議論で取り組んだのは、ロックからマルクスへと引き継がれた近代社会の基盤をなす所有権の理論を拡張することで、21世紀におけるデジタル化社会の問題を理解することである。これはロック流の孤立した自己の考え方に、21世紀的文脈で「頑固にしがみつく」試みだと言い換えることができるだろう。

最後にロック゠マルクス流の所有権アプローチでは捉えることが難しい問題を提起しておきたい。

改めて整理すれば、ロックの自己所有権では、肉体という最も私的に所有されているものを想定していたが、情報搾取の議論はそれを個人情報というレベルに拡張した自己所有権を基礎としている。個人情報は肉体とは異なり、私的に所有しやすいものではなく、むしろ、所有しにくいものだと言ってよいだろう。価値を生むほとんど唯一の直接的源泉が肉体であった、ロックやスミス、マルクスの時代は過ぎ去った。情報が価値の源泉となるなか、自己所有権の概念を拡張することで、搾取の理論を現代的に再構築するというのが、本章の試みであった。

このような試みは、人びとの生きる糧である所得や富を維持するために有用だと思われる。一方で、このような近代の理論への「しがみつき」の限界も表しているかもしれない。人間性や人間の尊厳は、財産や富といったものだけではないのである。孤立した自己を分析の参照点とするロック＝マルクス流のアプローチでは捉えきれない、人間の存在価値があるとすれば、私たちは自己所有権に依拠することを部分的に放棄し、別の倫理的アプローチを用いる必要がある。

まさにこの点が、デジタル化された経済において直面せざるを得ない倫理的問いだと思われる。それは、人間の価値をどのように捉えるべきかという問題である。アレントが60年前に投げかけた問いが、デジタル化によっていま、顕在化している。

2-4 再び問われる人間の本質

デジタル化は、経済活動にさまざまな影響をもたらしてきたし、これからももたらし続けるだろう。デジタル経済の発展は、人と経済のかかわり方を大きく変えていく。本章で議論したように、デジタル化は企業の根幹である取引費用を大きく変えることになる。それゆえにデジタル化は企業組織のあり方までを変えてしまうだろう。このことはプラットフォーム企業の台頭へと結びつくが、それだけでなく、経済活動の中で私たちがやむを得ず行っていた、無駄なことを省くことにつながる。経済効率性の面から言えば、大きな潜在的メリットを生み出すことは間違いないのである。

しかしながらプラットフォーム企業は、その本質において「人間の情報を収集する存在」であり、それはメリットと同時に社会的課題をもたらすかもしれない。人間の本質的情報は、人間の身体と同じく、本来は本人が所有すべきものである。これが搾取されてしまう可能性があるということが、人間存在を深く傷つけ、人びとの機会と自由を損なう要因となる恐れがある。

デジタル化社会の経済活動に対する規制や制度整備は複雑なものとならざるを得ない。だが、人びとの「活動」基盤を守ることは、不可欠の条件だと思われる。その理由は二つある。一つは、人びとが十分な活動をするための自由と機会があることそれ自体に、侵しがたい重要な価値があるためである。そして、もう一つは、デジタル化社会の不可逆的特質である。情報という財が鍵となる社会においては、多くの変化は不可逆的とならざるを得ない。知識と情報は公共財的な性質を持つため、一度、広く流通してしまった情報を秘匿することは難しい。その意味で、デジタル化社会では個人の尊厳への配慮がより一層求められるのである。

デジタル化は、人間の本質的な活動基盤における不平等を拡大する原動力にも、縮小する原動力にもなり得る。このとき直面する非常に難しい問題は、人間の本質的な活動とは何か、そして人間の条件とは何かということである。これは、デジタル化経済が発展するなかで顕在化する、避けがたい問いであると言っていい。この意味で、現代的な現象である経済のデジタル化は、スミスやマルクスが労働に力点を置くことで経済問題から除外した公共性をめぐる問いを浮かび上がらせている。このことは、第六章で再び考えたいと思う。

第三章 デジタル化と法制度

3-1 法の運用コスト

本章の問いは、「デジタル化は法のあり方にどのような影響を与えているか」である。

日常生活の中で条文を目にすることはそう多くはなく、具体的に社会の中で法がどのような役割を担っているかについて考えを巡らせることはあまりないかもしれない。しかし、法が社会の基盤となる重要な構成要素であることは言うまでもない。組織で活動した経験のある人であれば、「ルール」の重要性や難しさを感じたことがあるだろう。ほとんどの組織で、就業規則や内規など、組織内の人びとの行動を調整するための明示的または黙示的なルールが存在する。大学のサークルといった自主的な組織でも、何かしらのルールはある。これらの例に見られるように、人が協働して何かをする場合はルールがあるほうが望ましい。もし社会を大きな共同事業と見なすとすれば、法体系という綿密なルールの組み合わせが要請される。法は、「人」・「物」・「関係」などを規律することによって、日常生活、経済活動、政治活動といった諸活動を支える。

本章で考察する「法」は、大別して次の二つの要素から構成されている。一つは、法的なルールそのもの（法規範）である。民法や刑法などの制定法がここで言う法規範の典型例である。さらに、裁判所が下した判決によって形成される判例法や、一般の人びとが継続して守ってきた慣習法なども法規範の一部と言える。デジタル化は、このような法規範に修正や変更を迫るかもしれない。

もう一つは、法的ルールを運用する仕組みである。例えば、法的ルールを実現するには、裁判や法専門職の制度が整えられている必要がある。いくら立派な法律があっても、裁判所や弁護士などの法専門職の人たちが存在しなければ、その法律は絵に描いた餅にすぎない。さらに言えば、法(特に民事法)が実効化されるためには、一定数の人びとがそのルールを参照して行動してくれなければならない。法は「支える人」や「遵守する人」を必要とするのである。

デジタル化が法に及ぼす影響は多岐にわたるが、上記の分類に即して、法規範に対する影響と法の運用に対する影響の二つを検討する。この検討によって、次のことが明らかになる。デジタル化は、法の運用に関しては、主として法へのアクセスを改善することを通じて、好ましい効果を与える可能性が高い。その一方で、法規範に対する影響については不透明な部分が多い。法規範の根本的な内容を変えずに、微修正のみでデジタル化に対処することもおそらく可能である。しかし、デジタル化による経済状況の変容を考慮すると、法規範の微修正だけでは人びとのあいだの不平等が放置されたり、格差が拡大したりする恐れがある。

以下、デジタル化が法の運用と法規範のそれぞれにもたらす影響について、順次述べていこう。

法の運用(1)——手続

法を運用しようとするとき、経済学で言うところのさまざまな費用——特に、第二章で触れた

「取引費用」――が伴う。この取引費用という概念を広い意味で捉えた場合、人びとが契約を結ぶために必要な費用だけでなく、何らかの事故が起きた際にそれを処理する費用や、紛争を解決するための費用なども含まれる。法を運用する過程は、社会の安定性のために不可欠なものであると同時に、膨大な取引費用の源泉ともなっているのである。デジタル化は、この取引費用の節減に役立つ。

２０１９年５月、いわゆる「デジタル手続法」が成立し、同年12月に施行された。[1] この法律は、行政手続の利便性を向上させて行政運営を簡素化・効率化するために、行政手続を原則としてオンラインで行うことを認める。そこでは、「デジタルファースト（手続を情報技術で処理する）」、「ワンスオンリー（同一の情報提供は求めない）」、「コネクテッド・ワンストップ（民間サービスも含めて、手続を一度に済ます）」という三つの原則が掲げられている。

例えば、戸籍・住民票・課税証明書などの書類は、原則オンラインで受け付けられる。引っ越しや相続などの手続がインターネットだけで全て完結するようになり、しかも情報が一元化されるので、同種の手続を何度も行わなくてもよくなる。また２０２０年度からは、法人を設立する際の登記事項証明書が不要になり、オンラインでの申請が可能になった。このような行政手続のオンライン化は、新型コロナウイルス感染症が拡大する状況のもとで加速していった。

デジタル化が進むと煩わしい手続を踏まなくてすむようになるので、他の人の助けを借りずに手続を行える可能性が高くなる。２０２１年９月に設置されたデジタル庁が行政サービスのデジタル化の推進に取り組むが、この動きが十分に進展すれば、日常生活に関係する諸手続はオンラインで簡単に済ませられるようになる。[2]

同様に、裁判や相続の手続がデジタル技術で処理されるようになると、多くのコストが節約できる。書類のみで終了する手続については、弁護士を介さずに自分で行うことが可能になると予想される。これまで裁判制度にはデジタル化の流れはほとんど及んでいなかったが、少しずつ状況は変わりつつある。

２０２０年2月、東京地裁をはじめとする一部の裁判所が「ウェブ会議等のＩＴツールを利用した争点整理」の運用を開始し、この年のうちに全国の地方裁判所本庁へと範囲が拡張された。[3]

従来、裁判に提出する書類はもっぱら紙媒体であった（ファックスがよく使われていた）が、クラ

1――デジタル手続法の正式名称は「情報通信技術の活用による行政手続等に係る関係者の利便性の向上並びに行政運営の簡素化及び効率化を図るための行政手続等における情報通信の技術の利用に関する法律等の一部を改正する法律」である。平井卓也ＩＴ担当大臣（当時）によると、「デジタル」という言葉を法案に入れるのを避けるために長くなったという。

2――２０２1年前半に関係法令の整備が急ピッチで進められた。5月に「デジタル社会形成基本法」、「デジタル庁設置法」、「デジタル社会の形成を図るための関係法律の整備に関する法律」などの法律が公布され、9月より施行されている。

3――『日本経済新聞』２０１9年5月17日、および裁判所ウェブサイト
https://www.courts.go.jp/about/topics/webmeeting_2020_1214/index.html
を参照［２０２1年8月27日閲覧］。

ウドサービスの活用によって、裁判官や弁護士がインターネット上で文書を共有したり打ち合わせをしたりすることができるようになり、裁判の迅速化や省力化が進んでいる。

将来的には、訴えの提起から判決までを全てＩＴ化することが目指されており、裁判の当事者自身がオンラインで訴状その他の書類を提出できるようになる。使いやすすぎると濫訴の弊害が生じるという意見もあるが、今の日本では「本来もっているはずの権利を行使できない人がたくさんいる」という弊害のほうがずっと深刻である。

公的機関の手続は、利用者にとってわかりにくく、障壁は高い。とりわけ年金や生活保護などの給付行政の領域では申請主義がとられているため、障壁によって失われている利益は甚大である。[4]デジタル化によって手続の障壁を少しでも低くできるのであれば、それは望ましいことである。デジタル化は、経済活動においては、情報をやりとりするプラットフォームの形成を可能にし、取引費用を大幅に削減しつつある（第二章）。それと同じように、法の運用面においても、こうしたプラットフォームが構築されることで、法の運用に必要な情報をより効率的に処理できるようになる。経済活動のためのプラットフォームが私企業によって運営されるのに対して、法の運用のためのプラットフォームは公的主体が中心的役割を担うという違いはあるが、取引費用を削減する点では類似している。

法の運用（２）——法専門職

法制度は、弁護士や裁判官など法専門職の人びとによって担われている。このことは、リーガル・サービスという財（の主要部分）が、資格を持つ人びとによって独占的に供給されていることを含意する。一般に、独占的に供給される財は価格が高くなる傾向があり、財の供給は過少になりがちである。[5] こうした状況に対しても、デジタル化は確実に影響を及ぼしつつある。

一例を挙げると、2019年4月、契約書の点検をAIが行ってくれるというクラウドサービスが正式に開始された。[6] 契約書に潜んでいるリスクをAIが瞬く間に指摘するだけでなく、過去の契約書や雛型などの膨大なデータを使いながら契約項目の修正案も提示する。

海外に目を転じれば、リーガル・サービスが生身の人間から離れていくという現象が、草の根レベルで至るところで現れていることがわかる。2015年1月、スタンフォード大学の学生だったジョシュア・ブラウダー（Joshua Browder）が自作の無料弁護士ボットDoNotPayを発表し、大きな反響を呼んだ。もともとは不当な駐車禁止取り締まりへの異議申し立てを支援するために開発したアプリだったが、カバーされる範囲は徐々に広がっていった。それ以降、「ロボット弁護士」はアメリカでは身近な存在になってきており、少なくとも日常の法律問題に関する文書は自

4――申請主義の弊害については、山口編著（2010）を参照。
5――もしリーガル・サービスが公共財的な性質を有している（消費の競合性と排除性がない）とすれば、独占的でなくとも、最適な供給水準と比べると過少になりやすい。
6――『日本経済新聞』電子版2019年4月3日。

動で作成されるようになった。

弁護士の業務が全面的にＡＩに代替されるか否かをめぐっては意見が分かれている。２０１３年に発表されたカール・フレイ（Carl Frey）とマイケル・オズボーン（Michael Osborne）の「雇用の未来（The Future of Employment）」では、弁護士アシスタントは自動化リスクの高い職業に挙げられているが、弁護士自体は消滅するとは予測されていない。[7] 実際、法に関する業務には、状況に応じた判断や解釈を必要とするものや対人コミュニケーションを必要とするものがあるため、弁護士の全てがＡＩに取って代わられることはないだろう、と考える人は多い。

しかし、イギリスの法律・ＩＴ専門家であるリチャード・サスキンド（Richard Susskind）は「法律業務のコモディティ化（一般商品化）」の可能性を指摘し、将来的には弁護士が介在しなくても良質なリーガル・サービスが供給されるようになると述べている（Susskind 2017）。消費者のニーズがこの動きを後押しすれば、弁護士に独占されていた利益の一部は掘り崩されることになるかもしれない。

裁判官のほうはどうだろうか。数年後にＡＩ裁判官が登場するということは日本ではなさそうだが、他の国では「ＡＩ裁判官」に類似した事例がいくつかある。例えば、エストニアでは少額訴訟において「ロボット裁判官」が導入されており、このプロジェクトは今後も推進されていく見込みである。[8]

もっとも、判決が完全に自動化されるまでの道のりはまだ長い。たしかに、事件の種類を判定し、過去の判例を参照するだけでよければＡＩは判決を書けるだろう。[9] だが、裁判官はときに先例と異なる判断を下さなければならず、その際には人びとが納得できる理由づけを提示する必要がある。ＡＩによる判断はブラックボックスになる可能性があるので、人びとが納得・受容する判決を果たして書けるのかをめぐっては懐疑的な見方が根強く存在する。それに加えて、ＡＩは出自・民族・人種などの社会的カテゴリーの情報を利用するため、差別を助長するのではないかという危惧もある。[10]

われわれが実施した調査では、裁判官その他の職業がＡＩに置き換わることについて賛成か反対かを尋ねている（図表３－１）。裁判官だけでなく、弁護士・検察官といった法専門職をＡＩが代替することに対しては慎重な意見が多いと言えそうである。ただし、デジタル・デバイスの利用頻度が高い人ほど、肯定的な意見（「賛成」または「どちらかといえば賛成」）に傾きやすくなっ

7――Frey and Osborne（2017）を参照。もっとも、この論文の分析で使われているデータは各職業に対する主観的評価を含んでいること、そして現時点での各職業の性質を基礎にしているにすぎないことに注意すべきであろう。

8――笠原（2021）によれば、エストニアでのロボット裁判官のプロジェクトは、２０２０年時点で休止中とのことである。ＩＴやＡＩが裁判でどのように活用されているかを詳しく紹介したうえで、今後の裁判のあり方を考察した文献として、柳瀬（2018）も参照。

9――ヨーロッパ人権裁判所が過去に出した判決のテキストコンテンツを学習して判決を予測するシステムについて、Aletras et al.（2016）を参照。

10――ただし、ＡＩによる判断のほうが生身の人間による判断よりもむしろプロセスが透明化されるので望ましい、という議論もありうる。例えば、Kleinberg et al.（2018）を参照。

図表3-1　AIに置き換わることに賛成か反対か

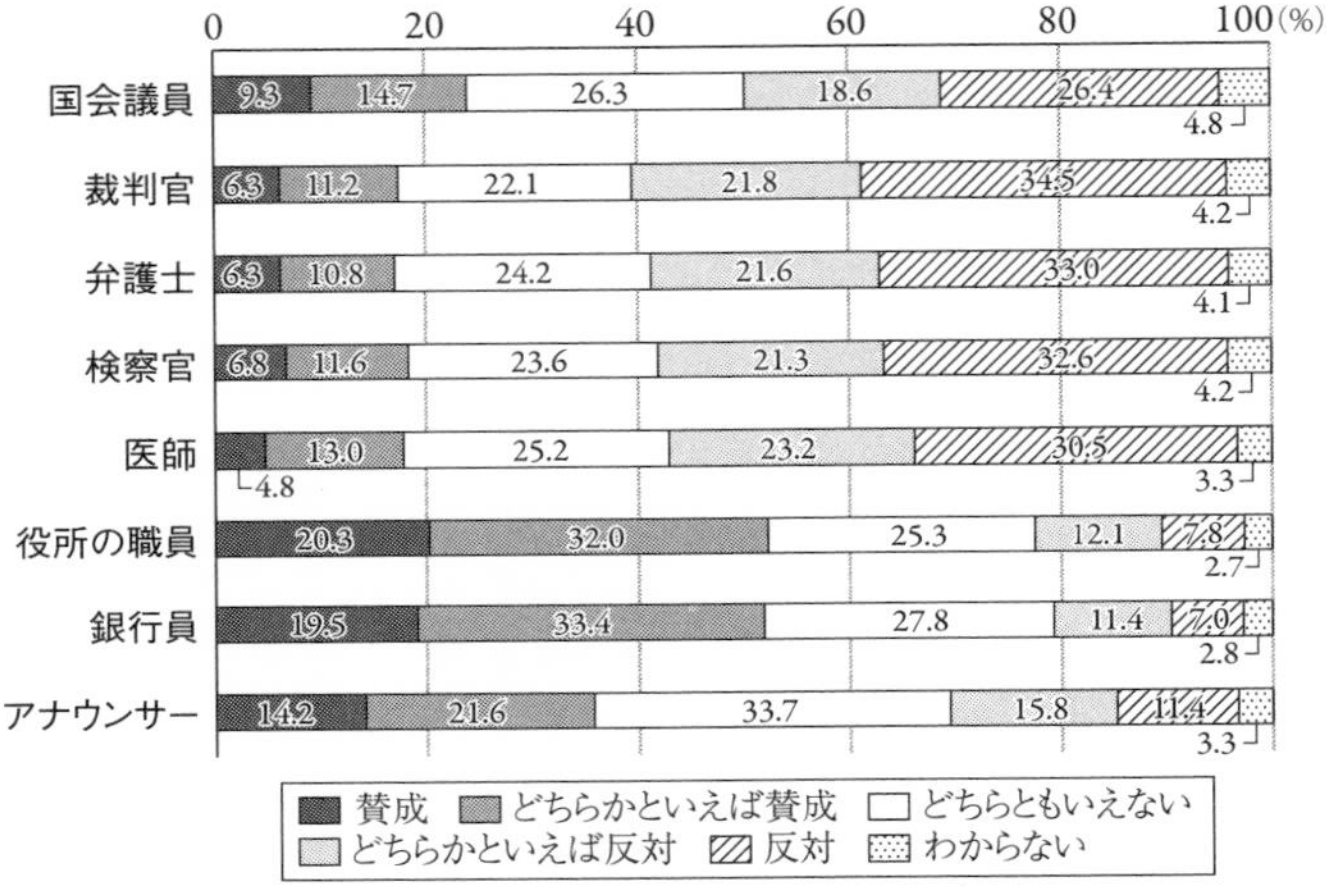

ている。

しばらくの間は、裁判官の仕事を代替するというよりも、裁判官の判断をサポートするためのシステムが広く開発されるようになるだろう。例えば、刑事事件における量刑、民事事件における損害賠償額の算定など、何らかの相場感が伴う判断を支援する補助処理システムが普及していくと予想される。[11]

こうしたことは、デジタル化が法の運用を補完する可能性を示していると言える。つまり、デジタル化によって、法は一般の人びとの手に渡りやすくなるのである。この点は、経済のデジタル化が情報の偏りをもたらし、新たな搾取を生む可能性があることと対照的である。

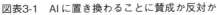

3-2 法規範の内容の変化

それに対して、デジタル化が法規範の内容にいかなる影響を与えるかは不透明である。法規範が対応しなければならない問題は多様であり、どのような法規範を構想するかによって、帰結は大きく変わってくるであろう。

ここでは、数ある法規範の中でも民事法を中心として、デジタル化が引き起こし得る問題を述べていくことにしたい。[12]

法規範(1)――「人」のルールの変容

民事法における法規範は、「人に関するルール」、「物に関するルール」、そして「関係(法律行

11――刑事事件については、すでに中国海南省の高級人民法院で量刑判断を補助するためのAIシステムが導入されている。

12――民事法以外にも、デジタル化によって重要な変化が起こり得る分野は多い。刑事法に関しては、例えば深町(2018)、笹倉(2018a, 2018b)を参照。また、宍戸ほか編著(2020)は、さまざまな分野の専門家と法学研究者の座談をまとめた書物であり、AIが及ぼしうる影響を見渡す際に非常に有益である。なお、法律および法学に関する標準的な法学入門書としては宍戸・石川編(2021)、AIがもたらし得る社会の変化を踏まえた法学入門書としては太田編著(2020)を挙げておく。

為）に関するルール」の三つに大別することができる。[13]「人に関するルール」は、何が権利や義務の主体となれるのかを定めるルールを指している。次の「物に関するルール」は、物に対して人が持つ権利や義務を定めるルールであり、日本法では物権法と呼ばれる部分にほぼ相当する。そして、権利や義務がどのような場面に発生したり消滅したりするかを定めるルールが、「関係（法律行為）に関するルール」である。デジタル化は、これら三つのルールのいずれにも影響を及ぼす可能性がある。[14]

まず、メディアなどでも注目されることの多い「人に関するルール」について考えてみよう。社会制度としての法の枠組みの中で、生身の人間だけが権利や義務を持つ主体として扱われるわけではない。例えば会社は一つの主体として、事故の責任を負ったり、契約を結んだりすることが認められている。生身の人間を「自然人」と呼ぶのに対し、人間ではないが法的に人格が認められて権利や義務の主体となるものは「法人」と呼ばれる。果たして、ロボットやＡＩはこのような意味での「人」になるのだろうか。

２０１6年5月、欧州議会の法務委員会は「ロボティックスにかかる民事法規則に関する欧州委員会への提言（Report with recommendations to the Commission on Civil Law Rules on Robotics）」と題する報告書案を公表し、翌年1月に提出された。[15]この報告書が扱う論点は広範囲に及ぶが、なかでも注目されたのは「電子人（電子法人、electronic person）」なる言葉が使われている点であった。これは、ロボットやＡＩに法的な身分が付与されることを意味している。

ただし、この報告書で「電子人」が登場するのは一カ所だけである。報告書の一部である「民生用ロボティックスおよび人工知能の発展に関する一般原則」第59条fがそれで、次のような文言となっている。

少なくとも最も洗練された自律型ロボットが、それらが引き起こすおそれのある損害を塡補する責任を負う電子人という地位を有し、かつ、ロボットが自律的決定を行い、またはその他の相互作用を第三者とのあいだで独立して行った事例に電子人格を適用することができるものとして設立されうるように、長期的にはロボットのための特別な法的身分を創設すること。

ここで言う「電子人」は、主として不法行為に基づく損害賠償責任を負う主体として想定されている。不法行為法の文脈で「電子人」というカテゴリーを新設するのは、自律型ロボットが損

13――この分け方は、フランスの民法典や内田（2008）などを参考にしている。
14――最後に挙げた「関係に関するルール」の典型例は債権であるが、物権も「物に関して他者に特定の行為を要求できる権利（例えば返還や妨害の排除を求める権利）」と言い換えられるから、結局は「権利や義務」は、人と人との関係にほかならない。後で見るように、「物に関するルール」と「関係に関するルール」の隔たりはそう大きくはない。
15――その後、２０１７年2月16日に欧州議会の本会議で採択されている。この報告書の詳細については、http://www.europarl.europa.eu/doceo/document/A-8-2017-0005_EN.html を参照。

害を発生させたときにその損害を塡補すべき責任主体がおらず、被害者を救済できなくなるからである。しかし、もし「電子人」に不法行為の責任主体としての役割しかないのであれば、強制保険や補償基金など、別の仕組みで対処するほうがよいかもしれない（栗田2018: 223–226）。とはいえ、今後の議論次第ではあるが、「電子人」がいつか法的に認められる可能性は皆無ではない。

不法行為以外の場面ではどうだろうか。この点、契約を締結する主体として「電子人」を認めるべきか否かという議論がすでになされてきている（木村2018）。例えば、自律型ロボットやAIを介して契約を結ぶ場合、そこに利用者の意思が反映されているとは言い難く、そのままでは法的処理が難しくなる。[16] そのようなときにロボットやAIに法人格が認められれば、当事者間の法律関係の処理はずっと簡明になるだろう。

先ほど述べたように、自然人以外が法人格を持つのは決して奇異なことではない。人びとの集まり（社団）や財産の集合体（財団）も、法的には1人の「人」であり得る。社団法人や財団法人も一種の擬制（フィクション）なのだから、それをロボットやAIに及ぼしたとしても決して逸脱的とは言えない。法律はこのようにフィクションを使って問題を解決してきたのである。

しかし、社団法人や財団法人の背後には自然人が存在し、意思決定を行うのも自然人である。それに対して、自律型ロボットやAIの場合は意思決定の主体が（自然人としては）存在せず、意思決定過程は自然人のコントロール外にある。その意味で、社団法人・財団法人と「電子人」

とのあいだには埋めようのない差がある、と考えることもできる。

つまるところ、ここで問題となるのは、「意思決定を行う主体」と「責任を負う主体」との関係をいかに考えるかということである。法律の世界では、「意思決定を行う主体」と「責任を負う主体」は基本的には同じとされる。ところが、デジタル化の進展によって意思決定過程はシームレスとなり、両者の同一性は必ずしも自明ではなくなっている。ここでさらにＡＩが意思決定過程に加わると、予想を超えた重大な結果が生じる確率が高くなる。例えば、「契約締結をＡＩに任せたところ、誰も望まない内容の契約が結ばれてしまった」、「ＡＩに人事上の判断を委ねたところ、差別的な採用を行っていた」といったことが生じるかもしれない。

法的に「人」であるとはどういうことなのか。デジタル化のうねりは、法律における「人」のイメージを静かに、そして着実に変えてきている。[17]

法規範（２）――「物」のルールの変容

「人」が主体であるのに対して、「物」は客体（主体の行為の目的物）である。法律の上で保護さ

16――黙示の意思が存在すると言えなくもないが、自律型ロボットの場合にもその構成をとることができるかどうかは意見の分かれるところであろう。

17――現代の多くの法制度が前提としている「自律的な個人」という考え方もまたフィクションである。この点については、「関係」のルールとの関連で述べたい。

れる「物」の範囲は、デジタル化によって大きな影響を受ける。言い換えると、権利の対象となるものの範囲が拡大するということである。なかでも、情報の形態や利用法の変化は、「物」に関するルールの再考を促すことになる。

法律上の「物」には、一定の空間を占める「有体物」のみならず「無体物」も含まれる。「無体物」の一部は人間の主観や思念によって構築されたもので、情報もその例として挙げられる。このような無体物には法的な所有権は原則として成立しないが、周知のとおり、情報は知的財産法の枠組みによって、一般の所有権に類似した保護、すなわち排他的支配権を通じた保護が図られてきた。

いわゆる「知的財産権」は情報に対する排他的支配権であり、そこではいくつかの考え方が前提となっている。第一に、情報を生み出したり発見したりする人に優先的に権利が付与されるべきだという考え方がある。[18]第二に、情報は管理可能なもので、人の行為とは独立に存在するという考え方である。[19]要するに、無体物である情報があたかも有体物であるかのように扱われているのである。

しかし、情報についてこのような排他的支配権を与えるという扱い方はアナロジーに基づくものにすぎず、どうしても枠に収まり切らない部分が残る。およそ情報は人と人とのやりとりの中でしか意味を持たない（伝達する側と伝達される側が必要である）ので、実際には人の行為から独立して情報が存在できるわけではない。それゆえ、「物」に関するルールだけで情報を処理するのは難しい。

デジタル化はその傾向に拍車をかけ、情報の価値を増大させるとともに、知的財産権の性格をより複雑にする。例えば、ウェブ上あるいはクラウド上に保存されているデータは誰のもので、誰が利用できるのだろうか。このようなデータを譲渡するとして、それは法的にはいかなる意味を持つ行為と言えるのか。そして、データの複製が容易な状況でどのようにして排他的支配権を実現できるのかという実効性確保の問題も出てくる。

さらに、デジタル化の特徴の一つである「連結性」も、知的財産権を支える上述の考え方に少なからず影響を及ぼす。

もともと別々の場所に保存されていた情報を統合したり紐づけしたりすると、情報の価値が大きく高まる（例えば、鉄道会社が保有する人びとの通勤経路の情報と、医療機関が保有する感染症の病歴に関する情報を紐づける、など）。この場合、情報の生産者は誰になるのだろうか。初めに情報を収集・保存した人なのか、情報を統合した人なのか、それとも分析した人なのか。デジタル化

18――第二章で触れたロックの所有権論は、この考え方と親和的である。ただし、ロックは知的財産について検討しているわけではないので、同じ議論がそのまま当てはまるとは限らない。著作権に関して、Chatterjee（2020）を参照。

19――このように考えられているからこそ、知的財産権を取引したり、分割して譲渡したりすることが可能となる。飯田（2017）は社会的機能から「権利」を分類し、本文に述べたタイプの権利を「取引型」権利と呼んでいる。このような「取引型」権利がどのように実効化されるかについては、飯田（2021: 8-14）を参照。

が進むと、大量のデータを管理したり組み合わせたりすることで得られる価値が、データ単体の利用価値をはるかに凌駕することになる。こうした利益の分け前を請求できる権利を、誰にどのように割り当てれば望ましいのかが問題となる。

ＥＵが１９９６年に導入した「データベース権」は、この連結性に起因する問題を考える際の手がかりを与えてくれる。デジタル化の有無にかかわらず、データベースは知的財産権として定められているカテゴリーには適合しにくい。発明ではないから特許法の対象にはならず、創作性も十分でないことが多いので著作権法の対象にもなりにくい。[20] しかし、データベースの作成や構築には多大な費用や労力を要するため、何らかの保護が与えられなければ、投資は社会的に望ましい水準よりも少なくなる。

そこで、データベース産業の育成を目指したＥＵは、１９９６年に「ＥＵデータベース指令（EC Directive 96/9/EC of 11 March 1996 on the legal protection of databases）」を発し、創作性に欠けるデータベースについても、一定の要件を満たせば排他的支配権を付与することとした。[21] その要件とは、データの取得・確認・表示のいずれかの段階で「実質的な投資（substantial investment）」がなされていることである。データベース権が認められると、当該データベースのコンテンツ全体または実質的な部分の抽出や再利用は禁じられる。

この指令を受けて、ＥＵ加盟国では１９９８年までに国内法が整備されていった。この動きは、ＥＵ加盟国以外にも影響を及ぼすことになる。アメリカ合衆国では、下院で「データベース投資および知的財産権不正利用禁止法案」が提出されたが、データベース作成者の権利が強くなりすぎるとデータベースの利用や流通が妨げられ逆効果になるのではないかという懸念が表明され、廃案となった。現在でもアメリカではデータベースに排他的支配権が与えられるのは創作性がある場合に限られる（この場合は著作権が認められる）。創作性のないデータベースについては、EUのように排他的支配権を通じてではなく、不正競争防止の範囲内で保護される。[22] なお、日本でもアメリカと同様に創作性の有無によって保護のされ方が変わり、データベースに創作性がない場合には排他的支配権は生じない。[23]

情報についてのルールを作る場合に、一般の所有権に似た排他的支配権を創設するか、それと

20――データベースにも創作性が必要という考え方は、1991年にアメリカ合衆国連邦最高裁判所で出されたFeist判決にも反映されている。この裁判では、カンザス州で電話帳を作成していたFeist社が、電話会社であるRural社の電話帳を利用して広域電話帳を作成したことが問題となった。連邦最高裁は、Rural社の電話帳はオリジナリティの要件を欠くために著作権による保護の対象とはならない、と判示した。

21――以下のデータベース権に関する記述につき、長塚（1999）、小塚（2019）を参照。

22――情報収集物不正利用禁止法（Collections of Information Antipiracy Act）が1997年に成立し、データベースはそれによって保護されている。

23――著作権法においては、データベースの著作物とは、「データベースでその情報の選択又は体系的な構成によって創作性を有するもの」とされている（著作権法12条の2第1項）。著作権法で保護されない場合であっても、不法行為法で保護される余地はある。東京地中間判平成13年5月25日判時1774号132頁［自動車整備業務用データベース事件］。

も、不正利用や盗用による損害についてのみ賠償請求を認めるか。この選択は、結果を左右する大きな分かれ目である。当然、権利者の承諾がなければ他の人がその情報を利用することはできないとする前者のほうが、後者よりもデータベース作成者の権利は強くなる。しかし、データベース産業がより発達したのは、前者の方法を選んだヨーロッパではなく、後者の方法を選んだアメリカであった。ルールを評価する基準は必ずしも産業発展の程度だけではないが、他の事情を考慮しても、EUのデータベース権が成功したとは言い難い。

いずれにせよ、デジタル化された世界では、「物」に関するルールを貫徹するのは至難の業である。たとえ従来通りのルールを維持しようとしても、おそらく例外だらけの複雑なものとなるだろう。

法規範（3）――「関係」のルールの変容

現代社会では物権（物に対する権利）よりも債権（人に対して特定の行為を求める権利）のほうが重視される傾向がある。法的保護の対象は、客体としての「物」から、経済活動それ自体へと重心を移してきている（鎌田1998）。人の行為とは独立して存在するとされていた「物」に依拠することができない世界では、人と人との関係を規律するルール――「関係」に関するルール――がより強く前面に出てくることになる。ここで言う「関係」とは法的関係を指す。誰が誰に対して権利を持ち、または義務を負い、その権利がどのように実現されるのかを定めるのが、「関係」に関するルールである。

人びとの法的関係を規律する代表的な手段が、契約である。意識していようといまいと、人びとはたくさんの権利や義務に張り巡らされながら生活している。もちろん、公法上の権利・義務もあるが、かなりの部分が私法上の権利・義務であり、その大半が契約によるものである。[24]会社での仕事、店舗での物の売買、ウェブサイトを通じての商品・サービスの購入、電車やバスの利用、家賃や公共料金の支払いなど、どれも契約に基づいている。

デジタル化は、このような契約関係のあり方をも変容させる。ここでは二つの変化を取り上げておこう。契約の実現のされ方における変化と、契約の内容における変化である。どちらも、デジタル化の技術によって引き起こされるという点で共通している。

一つ目は、契約を支える信頼が技術に置き換わる、という変化である。先ほど例示したような契約は、生活に支障がない程度には履行されている（違反もたまに見られるが）。おおむね実現されているのはなぜかと言うと、信頼や評判のメカニズムが人びとのあいだで作用しているからである。究極的には法的に強制される可能性があるが、その可能性が低いとしても、多くの契約は履行されるだろう。契約の履行を怠ることは、将来の取引機会を失うことにつながる。取引機会

24――国や自治体などの公的機関と一般の私人との関係を定める法を「公法」、一般私人同士の関係を定める法を「私法」と呼ぶ。

を喪失する可能性は、法的な強制が発動される可能性に勝るとも劣らない抑止力として働く。[25]

このように、契約が実現されるには信頼が深く関与しているが、分散型台帳技術を導入することで契約を自動的に実現できる。[26] これがスマート・コントラクトである。つまり、契約の文言に従って、法的に関連する出来事や情報を自動的に実行・制御・記録するコンピューター・プログラムないしプロトコルがスマート・コントラクトであり、特定の第三者を介在させることなく信用を担保する点に主眼が置かれている。

スマート・コントラクトではブロックチェーン技術がよく応用されているが、考え方自体はそれよりも古く、1990年代に暗号学者・法学者のニック・サボ（Nick Szabo）によって提唱された。契約プロセスが自動化され、第三者を介さずに取引を実行できるため、取引費用が削減される。また、取引履歴が恒久的に保存されるうえ、改竄される恐れがほぼないというメリットもある。従来は契約プロセスで大きなコストが生じていた不動産取引で、実装事例がすでに見られる（不動産トークン化）。

スマート・コントラクトの導入は、契約を実現するための仕組み（例えば、信頼できる支払いシステムや相互の信用）が欠如している国では大きな利点となる。契約がろくに守られないような状況では、経済が発展することは望めない。信頼に足る取引制度の確立は経済活動の重要な基盤であり、デジタル化はその基盤を整えてくれると考えられる。

デジタル化による契約関係の変容として二つ目に挙げておきたいのは、取引内容が技術に依存する程度が大きくなり、技術によって事実上の選択肢が変更されやすくなる、ということである。

有体物に関する売買契約であれば、取引の内容は比較的明確である。それに対して、「物」が関わっていない取引では、その取引内容の多くが技術によって規定されている。例えば電子書籍の場合、アプリやリーダーの仕様が改められたり廃止されたりすると、契約当事者がとりうる選択肢は制約されることになる。電子書籍以外でも、ポイントカードや暗号資産は似た構造になっている。有体物の場合は、いったん引き渡されればその物の性質が変わることも勝手に消滅することもないが、デジタル化された財やサービスの場合はそうではない。契約当事者の意思によって動かせる範囲は、技術によって容易に制限される。

技術に依存する程度が大きいということは、技術を制御できる主体の力が強くなり、個人の自律性が確保しづらくなっていることを意味する。今から20年以上前、法学者ローレンス・レッシ

25——ここでは触れていないが、インターネットの普及によって取引相手についての情報が素早く拡散するようになったり、信頼度や評価がスコア化されて可視的になったりする、という変化にも注意すべきであろう。山岸・吉開(2009)を参照。特に信用スコアリングは、機会の平等、プライバシー、選択の自由といった問題と密接に関連する。

26——分散型台帳技術とは、特定の台帳(データベース)管理者を置かず、ネットワーク上の複数の参加者が同一の台帳を管理する技術を指す。取引記録の管理を参加者たちに分散的に行わせることで、改竄はきわめて困難になる。その際に取引記録の整合性を保つための技術の一つがブロックチェーン技術である。このブロックチェーン技術が法に対していかなる影響を与えるかを広範に論じた文献として、De Filippi and Wright(2018)を挙げておく。

グ（Lawrence Lessig）は、人びとの行動を制御する要素として「法」・「規範」・「市場」・「アーキテクチャ」の四つを挙げ、アーキテクチャをめぐる議論が活発に展開されるきっかけを提供した。[27] アーキテクチャとは簡単に言えば「意思決定や行動を制約する環境」ということになるが（例えば車のスピードが速くなりすぎないように道路にバンプを設けるのもアーキテクチャの例である）、デジタル化の進展とともに、アーキテクチャを介した制御は無視できない影響力を及ぼすようになっている。レッシグが挙げた四要素のあいだの比重が変わり、個人の自律性を前提とする法が効果を持ちうる領域は狭まりつつあると言えるのかもしれない。

3-3　法と不平等

これまでの議論を整理すれば次のようになる。

まず法規範の運用面については、デジタル化は法制度の利用コストを軽減する効果をもたらし、社会にとっての恩恵もかなり大きいと考えられる。専門知識の密教的性格が緩和されたり、専門家との距離が近くなったりする。一部の仕事が消滅するなどの損失はあり得るが、全体としてデジタル化は好ましい方向に作用すると思われる。

しかし、法規範については、デジタル化がもたらす恩恵と災厄のどちらがより多くなるかははっきりしない。今後の法規範の組み立て方次第と言うほかないが、どちらにしても、法規範の修正や新設は不可避であろう。原則として法制度は個人を基本単位としているが、デジタル化から生じる利益を個人の権利だけで捕捉し尽くすことはおそらくできない。現在の法は、「人」・「物」・「関係」のどの局面においても、デジタル化された世界で「適切な結果を導くインセンティブ」を人びとに十分に与え得るものとはなっていない。ここで言う「適切な結果を導くインセンティブ」の「適切さ」には、狭い意味での効率性だけでなく、より幅広い視野からの倫理的評価も含まれる。

効率性では捉えきれない倫理的観点の一つが、「衡平性（equity）」という考え方である。衡平性とは、複数の人びとのあいだで負担や利益が適度に釣り合うようにすることである。この考え方によれば、結果や手続を判断するにあたっては、完全なる平等（equality）でなくとも、各人の違いに応じた異なる配慮をすべきことになる。大まかに言うと、人間として対等であることを守るという考え方が「衡平」である。

不平等化に抗して

契約当事者は建前としては対等な個人と見なされ、当事者は契約によって余剰を分け合う。契約を結ぶかどうかが当事者本人の真の意思に基づくのであれば、どちらも得をする場合にのみ契

27――Lessig（1999）を参照。日本での議論の例については、例えば松尾編（2017）を参照。

約が結ばれるはずだからである。

このことから、両者がともに利益を得られるような契約の締結を促進するように法制度は発展してきたと一応は考えられる。しかし現実には、対等で自由な個人同士が結んだ契約によって、当事者間の不平等が徐々に拡大するということも起きている。その理由の一つとして、人びとが合理的に判断するとは限らず、完全な契約を結ぶことができないことが挙げられる。[28] 特に労働契約や消費者契約では、1人の自然人が巨大な法人企業と契約を結ぶことになる。そのような場合、契約の結果は長い目で見て不平等なものとなることがよくある。

労働者や消費者を保護する法律は、不平等化への流れに抗して衡平性を確保しようとする法と言える。つまり、これらの法がなければ、契約自体は効率的なものであっても、主体のあいだの対等性が崩れてしまい、結果として大きな不平等が生じ得る。これらの法律は、不平等化の波から人びとを守るための防波堤となる。

この点に関して、ハンナ・アレントの公共性に関する思想は示唆的である。アレントによれば、人びとの生活は、公共的な性格を持つ「公的領域（public realm）」と、私的な性格を持つ「私的領域（private realm）」の二つに分けられる（Arendt 1958）。大づかみに言えば、公的領域とは、家族のような親密な関係性のない他者と関わるような空間を指す。政治参加は、この領域における典型的な行動である。一方、自分だけ、あるいは家族だけで過ごすような空間は私的領域に属している。アレントによると、この二つの領域がどのような状況にあるかで、社会のあり方が規定される。

アレントの思想には、ある種の衡平性への関心がある。例えばアレントは、労働者の権利を保護する制度や、大企業の経営者が被用者の私的領域を侵すのを防ぐ制度を肯定的に評価している。[29]このような法制度によって、個人の財産は収奪を免れることができる。アレントにとって、人びとの私有財産が政府や社会の権力から収奪されずに守られることは重要である。なぜなら、公的領域から切り離されて秘匿された「私的領域」が維持されてこそ、政治参加の舞台である「公的領域」に深みが加わるからである。[30]つまり、個人の生活に独自性や多様性を与えるのが私的領域なのである。公的領域における人びとの対等な関係を保つために私的領域を守るというアレントの主張は、ともすれば曖昧になりがちな「衡平性」の考え方を解釈し直したものと言える。

デジタル化がもたらす不平等

ここで、改めてデジタル化と不平等の問題を考えてみよう。

デジタル化は、労働法や消費者法だけでは抗えないような不平等化をもたらす圧力を生むかも

28――例えば、抗争交換（contested exchange）の理論はそのような問題を扱おうとするものである。Bowles and Gintis（1988）を参照。
29――Arendt（1972［2000］）を参照。また、本節と次節の記述にあたっては、川崎（2014）を参考にした。
30――Arendt（1958［1994］）、特に邦訳99―１００頁を参照。

しれない。人びとの関係が技術への依存を高めると、技術を保有する主体の力が強くなり、搾取がより容易に行われるようになる。もし既存権益を持つ富裕層が技術を利用しやすい立場にあれば、富裕層の力はますます強くなるであろう。[31]

その一方で、自分が持っていると思っていた「物」が突然無価値なものになったり消滅したりする、自分が同意した覚えのない「契約」が自動的に実現される、人びとの選択肢が知らず知らずのうちに狭められる、といったことが頻繁に生じるかもしれない。[32]

こうしたなかで、価値の移転が目立たないかたちで行われるようになっている。現代社会では、個人の領域内にある情報――特にそのような情報が連結した集合体――が高い価値を帯びている。人びとは一定の抵抗感や危惧の念を抱きつつも、自分自身の行動に関する詳細な情報を、プラットフォーム企業などに提供しながら日常生活を送っている。GPSに記録されている自分の移動履歴、商品の購買履歴、あるいはウェブページの閲覧履歴などがその例である。

図表3－2は、われわれの調査結果の一部を示したもので、「自分のGPS情報、購買履歴、閲覧履歴（いずれも匿名の情報と仮定）を他者に提供することについてどのくらい抵抗感をもつか」という質問に対する回答の結果である。強い抵抗感がある場合を「10」、全く抵抗感がない場合を「0」として11段階評価で回答してもらっており、グラフではその平均値を年齢層別に示している。

いずれの年齢層でも平均値は7前後で、かなり高い数値が出ていることがわかる。しかも、最頻値はどの項目・どの年齢層でも一貫して「10」となっている（特にGPS情報については約38％の人たちが「10」と回答している）。デジタル・デバイスを頻繁に利用している人たちでは平均値はやや下がっているが、それでも最頻値が「10」であることに変わりはない。

図表3-2　情報提供に対する抵抗感

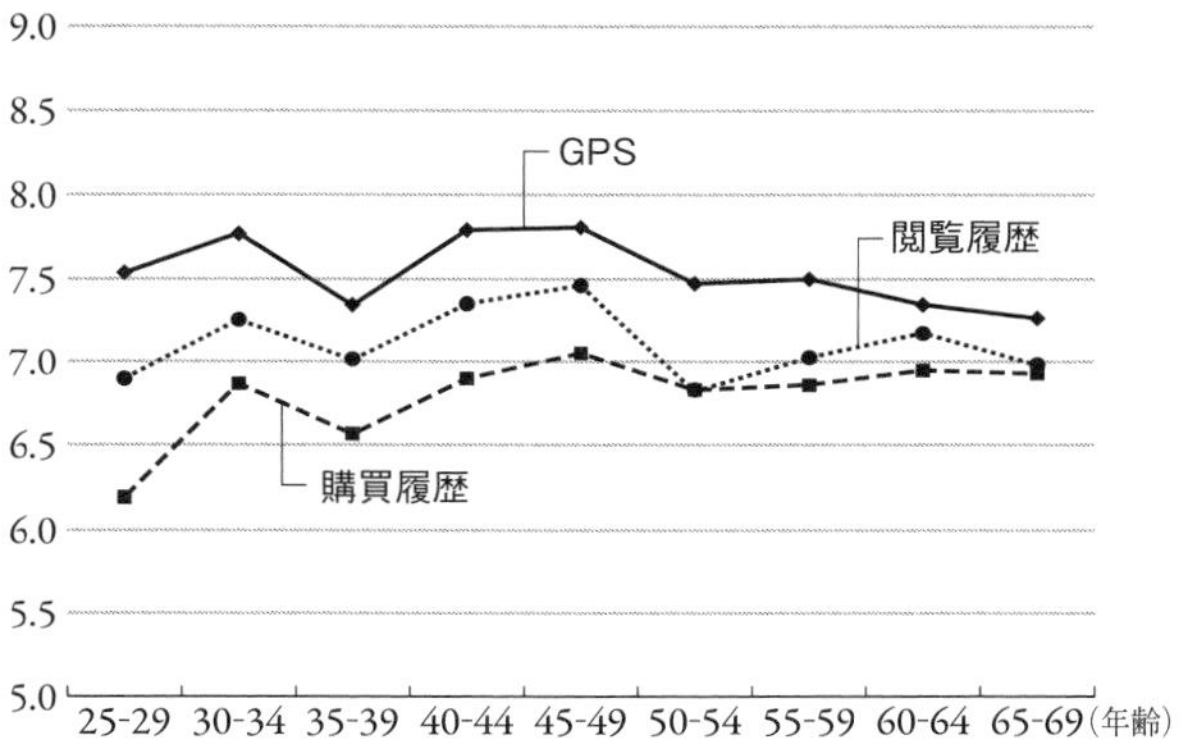

このように、個人レベルでは情報提供に対する抵抗感が見られる。抵抗感はあるにもかかわらず、実際には個人の行動に関する情報は着実に集積している。当人が知らないうちに情報が収集されていたり、人びとが否応なく情報を提供せざるを得ない状況に置かれていたりする。そこには価値の一方的な移転が見られるのである。

31——Pistor（2019）は、既存権益を持つ人や機関が法的ルールを利用しながら自己の権利を盤石なものとしていったプロセスを描き、こうしたプロセスがデジタル化によってさらに加速されることを示唆している。

32——例としては、電子書籍、ソフトウェア、暗号資産、クラウドに保存されているデータなどを考えてもらえばよい。これらの価値は、個人が独力で確保できるものではない。

アレントの「財産」

さて、アレントにとって「財産（property）」とは、「世界の特定の部分に自分の場所を占めること」（Arendt 1958: 61［訳書91頁］）である。つまり、「財産」を持つことは、自ら（そして自分の家族）の私的領域を確固たるものにしながら、公共的な場において安定的に存在することであり、その意味で自らが世界の一部分となることなのである。アレントが念頭に置いているのは、古代ギリシアの自由人の生活である。「財産」は私的領域に属し、公的領域から私生活を守る役割を担っていた。それと同時に、生命の維持に必要な分を超える資源をその人に与え、政治参加を可能ならしめるという役目も果たしていた。本来、「財産」は私的な性格だけでなく公的な性格も有していたのである。

しかし、この意味での財産は、近代以降の資本主義の興隆によって解体されていく、とアレントは言う。つまり、「財産」は「富（wealth）」に取って代わられる。[33]「富」は蓄積された金銭的価値の合計を指すのに対して、「財産」はもともと人が社会において存在することそのものを指す。人間が世界に存在するためには、何らかの金銭価値を有するものを必要とするがゆえに、「財産」と「富」は混同されやすい。ところが、有限である「財産」とは異なり、「富」は金銭の無限増殖のプロセスを許容する。

この「富」の無限のプロセスこそ、近代資本主義の大きな原動力である。アレントは、財産を富へと不断に変換し続けるプロセスとして資本主義を捉えている。そこでは、経済発展のための資本として、個人の私的財産が「徴用（expropriation）」される（Arendt 1958: 254–5［訳書411―412頁］）。歴史に照らせば、ヨーロッパにおいて農民階級が土地収用というかたちで財産を徴用された時期に相当し、これによって資本の原始的蓄積が始まることとなる。

アレントの言う「財産」の典型例が不動産であることは明らかだが、そこでの「財産」概念がどこまでカバーするのかは必ずしも明らかではない。だが、「財産」の範囲がどういうものであろうと、デジタル化の進行が私的領域に対するさらなる脅威となり得ることは間違いない。アレントにとっての法とは、本来の意味での「財産」を守るための「壁」である（Arendt 1958: 63–4［訳書93頁］）。この壁によって、私的領域も公的領域も存在し得るのである。

3―4 デジタル化時代の公的領域と私的領域

私的領域は公的領域から秘匿され、隔絶した空間である。そうであるからこそ、独自性や多様性を培うことができるのであり、それによって公的領域における活動と言論は実り多いものとなる。だが、デジタル化に伴う人同士および情報の連結性の増大により、私的領域を秘匿すること

33――このように、アレントにおける「財産」は、「富」とは厳密に区別されている。財産は生産活動には関係しておらず、私的領域が安定的に存立するための公的な制度とされている。だが、彼女によれば、近代に社会的なるものが勃興すると、財産は富へと平準化されていったという。

も隔絶させることも難しくなる可能性がある。アレントの考え方に基づけば、私的領域と公的領域の境界は次第に消失し、公的領域の深みも消えていくだろう（Arendt 1958: 71［訳書１０１頁］）。

「公的領域」の二つの側面

「公的領域」の「公的」には、次の二つの意味がある。

「第一にそれは、公に現われるものはすべて、万人によって見られ、聞かれ、可能な限り最も広く公示されるということを意味する。…第二に、『公的』という用語は、世界そのものを意味している。なぜなら、世界とは、私たちすべての者に共通するものであり、私たちが私的に所有している場所とは異なるからである。…つまり、世界は、すべての介在者と同じように、人びとを結びつけると同時に人びとを分離させている」（Arendt 1958: 50–3［訳書75―79頁］）。

これら二つの意味のうち、前者の「公的」な性質は、デジタル化によって一定程度は促進されているように見える。しかし、アレントの考える公的領域の淵源が古代ギリシアの政治空間にあるとすれば、現在促進されている「公的」な性質は、アレントの言う「公的」とは似て非なるものかもしれない。というのも、現在のデジタル空間における言論のうち相当部分は匿名であり、人びとは自分が何者であるかを示さないまま参加しているからである。多くの人たちにとって、自分の身元が他の人――それは不特定多数の人びととして現れる――に特定されるのは重大なリスクである。身元が特定されるのを嫌がる人は、デジタル空間で自分の主張を行うことを避ける傾向にある。[34]

そして、後者の意味での「公的」な性質も弱まっている。あるいは少なくとも変質している。アレントの言う公的領域は、他者の現存（Gegenwart）を通じてリアリティを帯びるようになる。ところが、デジタル化された世界では、「公的」なものを構築するための前提が、アレントの想定とはそもそも違っている。現代の人びとの生活は、例えばメールでのやりとりやオンラインショッピングのように、情報のみで完結することが多い。その意味で、生活のかなりの部分が、自然的・物理的な次元から遊離したところで展開されている。さらに言えば、「人」でさえも自然的存在であるとは限らない。[35]デジタル化された世界において私的領域と公的領域を境界づけるのは、物理的な空間と言うよりも技術である。

前述のように、私的領域を保護するための方法として、アレントは「法的・政治的制度」に期待を寄せていた。それは、個人の権利を保護することで私的領域を確保しようという構想である。しかし、デジタル化が進展すると、個人の権利を通じた保護では不十分になっていく。しかも、

34——前述の調査によると、「匿名でウェブの掲示板に書き込む」・「匿名で政治的主張を行う」という行動に対する抵抗感は、どれくらいの確率で自分の身元が他の人に知られると思っているかに相関している。

35——前述の「電子人」をめぐる議論を参照。そのほか、人間の体験が物理的な制約を超えて可能になってきているという現象も、自然的・物理的な次元からの遊離を示すものと言えよう。例えば、ロボット型アバターを使うと、アバターに取り付けられたセンサーを通じて、視覚や触覚などを伴った遠隔操作ができるようになる。

アーキテクチャの力が増大するにつれて、法が効果を発揮しうる領域は縮小しつつある（3－2参照）。したがって、アレントが構想したものとは異なる方法で私的領域を確保しなければならない。

新たな「公的領域」の構築に向けて

私的領域の確保と公的領域の充実が表裏一体の関係にあるのだとすると、私的領域を守るための方法を探求するには、まずもって公的領域がいかなる性質を持つ領域であるべきかを検討しなければならない。公的領域に委ねられるものは何なのか、そのために私的領域が最低限保っておくべきものは何かを知る必要があるからである。取りも直さず、それは私的領域と公的領域を分かつことにいかなる意義があるかを問うことである。

デジタル化が進行すれば、公的領域にとっても私的領域にとっても、物理的な空間は不可欠なものでなくなる。私的領域と公的領域の境界が曖昧になっていくなかで、わざわざこの二つの領域に分割する必然性はどこにあるのか。アレントは、生命を維持するためには、解き放たれた自由な「活動（action）」が決定的に重要であるということを、論証不可能であるものの否定し難いものとして（「公準」あるいは「公理」として）議論を進めている。この公準に準拠しながら、活動の場である公的領域とそれを支える私的領域の境目を、論理必然のものとして導き出しているように思われる。つまり、アレントによるこの境界は、現実社会を観察して導出される帰納的な方法論によるというよりも、論理的な整合性を重視する仕方で演繹されている。

だが、現代社会では、そのような導き方をする必要はなく、別のところを出発点とすることができる。本章の初めの部分で、法制度の運用がデジタル化によって変容していることを述べた。法的手続や法専門職に関して、デジタル化は障壁を取り除いていく。法制度は公的領域を構成する一要素である。法制度へのアクセスが容易になり、従来とは異なる代替的な方法が認められてきているという事実は、公的領域を形づくる際の選択肢が増えつつあることを示唆している。つまり、アレントが理想としていたものとは異なる公的領域を創造できるのである。

公的領域は、少なくとも次のような性質を持つ必要があるだろう。

第一に、公的領域における活動に参加しない自由が保障されなければならない。公的領域と私的領域の境界が不分明になると、人びとは公私の区別のない連続的な世界に否応なく関わり合うことになる。そのため、各人がどの世界で生きるかに関する選択肢は狭まる。この状況から生じる問題を緩和するには、常に複数の選択肢を確保し、公的領域は何らかのかたちの「アジール（自由領域・避難所）」とセットになっていることが望ましい[36]。このアジールはヴァーチャルなものでも構わないし、現実世界に存在するものでも構わない。また、アジールは純粋にプライベー

36――「アジール」とは、統治権力の及ばない特殊な領域のことである。歴史上、教会・寺社や市場がアジールの役割を果たしてきたと言われる。何をもって「アジール」と呼ぶか（「アジール性」とは何か）をめぐってはさまざまな見解があるが、ここでは立ち入らない（最近の文献としては、伊藤正敏（2020）を参照）。

トな空間とは限らない。アレントの考える親密圏に似たかたちをとる場合もあれば、遠すぎず近すぎない適度な距離にある人びとのネットワークというかたちをとる場合もあるだろう。あるいは、普段の生活とはほぼ関係のない人びととの結びつきが、アジールの役目を果たすこともあるかもしれない。いずれにしても重要なのは、各人に「複数の世界」が確保されていることである。

第二に、公的領域においては、人びとのあいだの対等性が必須となる。このことは、公的領域の中での各人の力が経済的な力とは無関係に認められるということを意味する。現実世界の力関係を反映させないようにする点では、デジタル空間にはむしろメリットがあると言えよう。もっとも、対等性が保障される公的領域はひとりでに立ち現れるのではなく、自分たちで積極的に構築していかなければならない[37]。

デジタル化は本来、人びとを労働から解放し、それによって生じた「余裕」を労働以外のアクティヴィティに用いることを促進するはずである。したがって、公的領域におけるアクティヴィティを活性化する可能性がある。ところが、人びとの「活動」の余地は必ずしも広がってはいない。それどころか、「徴用」のプロセスが以前にも増して進んできているように見える。

以上、本章では、デジタル化が制度に与える影響を考えるための例として、法制度の変化を取り上げた。法に関しては、デジタル化はプラスとマイナスの両方の効果をもたらす。マイナスの効果のうちここで特に問題にしたのは、私法の枠組みを従来のまま維持することによって不平等が促進されるのではないかという点である。それを防ぐには、私法的な方法も公法的な方法もあり得るが、いずれにしても適切な結果を導くためのインセンティブを経済主体に与えることが必要である。

権利や財産の偏在を食い止めることは、アレント風に言えば、私的領域を充実させて公的領域を健全なものにすることにつながる。ただし、デジタル化が進行する世界では、公的領域のあり方自体を問い直さなければならない。デジタル化が進むなかで、いかなる公的領域を創出すべきなのか。この問題は、現代社会における生活の他の側面を検討したうえで、第六章で改めて考えよう。

37――デジタル化された世界に浸かった人たちは、自己の領域に沈潜して公的領域から退いていく傾向にある、と思われるかもしれない。だが、前述の調査から得られたデータを分析する限り、そうとは言えない。デジタル・デバイスを頻繁に利用している人ほど、実名での掲示板投稿や政治的主張に対する抵抗感が弱まっている（差はわずかではあるが、統計的には有意である）。

第四章

デジタル化と不平等

4-1 技術進歩と所得格差

「デジタル化は社会を不平等にするか」という問いについて本章では考える。

不平等をめぐっては、現在、不安と懸念が世界に広がっている。トマ・ピケティ（Thomas Piketty）の『21世紀の資本』は、２０１３年にフランス語版、翌年以降に英語版、その他の言語で刊行され、世界的なベストセラーとなった。『21世紀の資本』は、アンソニー・アトキンソン（Anthony Atkinson）やエマニュエル・サエズ（Emmanuel Saez）たちとの研究の蓄積をふまえて書かれたものである。彼らの研究によると、１９８０年代以降、多くの先進国で所得の不平等が拡大しつつある。保有する株式や不動産などの資産に関する不平等はより深刻である。

不安や懸念が広がるのは、社会は徐々に平等になりつつあるという、人びとのあいだで緩やかに共有されていた期待が崩れたからかもしれない。ピケティによれば、20世紀の大きな戦争は、大量の破壊と不幸を世界にもたらしたが、その一方で、戦禍の中で資産が失われることで、経済的な不平等を縮小させる効果もあった（Piketty 2013）。実際、アレントの『人間の条件』が出版された１９５８年頃のアメリカでは、所得の上位１％の人びとが全体の所得に占める割合は10％余りだった。それに対して２０００年代以降には、上位１％の人びとが全体の所得に占める割合は20％まで上昇している。この不平等の水準は20世紀初頭と同等の水準である（Piketty 2013［訳書302―308頁〕)。

デジタル化と不平等はどのように結びつくのだろうか。情報をめぐる人びとのあいだの格差は、デジタル・ディバイド(情報格差)と呼ばれてきた。デジタル・ディバイドはもともと、インターネットにアクセスできる人とできない人、パソコンなどの情報端末を持つ人と持たざる人のあいだの情報格差を問題視したものだった。しかし、情報端末とインターネットユーザーは世界的に見てもかなり広がってきた(第一章)。つまり、もともとの意味でのデジタル・ディバイドはかなり解消されてきたと言える。

こうしたなかでも、多くの先進諸国では不平等が深刻化している。デジタル化が進むことで、不平等はますます悪化するのかもしれない。不平等は、労働、仕事、そして教育といったものを通じて形成される。[1] そこで本章では、現代世界に広まりつつある不平等や労働の変化に対して、デジタル化がどのような影響を与えているのか検討していきたい。

スキル偏向的技術進歩とは?

不平等の問題は21世紀になって急に生じたわけではない。産業革命がさまざまな国へ広がって

1――山本(2017)は、人工知能が労働と雇用に与える影響を丁寧に論じており、本章第2節の論点と重なる部分がかなりある。また、大卒プレミアムからタスクの議論へと移る流れについては、Acemoglu and Autor(2011)に基づく。以下でのこうした議論におけるわれわれの独自性は、アレント的解釈を加えた点にある。

いった時代にも、不平等は重要な社会問題だと考えられていた。資本主義社会における普遍的課題であり続けていると言っても過言ではない。ただし、19世紀の産業革命期における不平等と、21世紀のそれには違いもある。特に重要なのは、かつては不労所得が格差の大きな源泉であったのに対し、現在では労働所得についても大きな格差が生じている点だろう。[2] この傾向はアメリカにおいて特に顕著で、高卒者と大卒者の賃金格差は、1980年代以降、急速に拡大した（Acemoglu and Autor 2011, Figure 1）。

ではなぜこのような格差の拡大が生じているのだろうか。この状況を説明する最も有力な理論の一つは、スキル偏向的技術進歩（Skill Biased Technological Change, SBTC）アプローチである。SBTCは、高いスキルを持つ人の賃金だけが大きく上昇するような技術変化が生じたことによって、不平等の拡大を説明する。

SBTCの基本となるのは、労働者の需要に対して技術変化が与える影響は、スキルによって異なるという考え方である。SBTCでは、学歴賃金格差の原因を明らかにするため、学歴によってスキルに違いがあると想定して議論が進められる。もちろん、実際には非常に高度なスキルを持つ非大卒者もいるわけだが、ここではSBTCの慣例に従い、大卒者は平均的に高卒者に比べて高いスキルを持つとしよう。

図表4－1は、SBTCのメカニズムを表している。[3]

この図の縦軸は、高卒者に対する大卒者の賃金を意味する相対賃金（大卒プレミアム）である。

図表4-1　スキル偏向的技術進歩と労働供給・需要

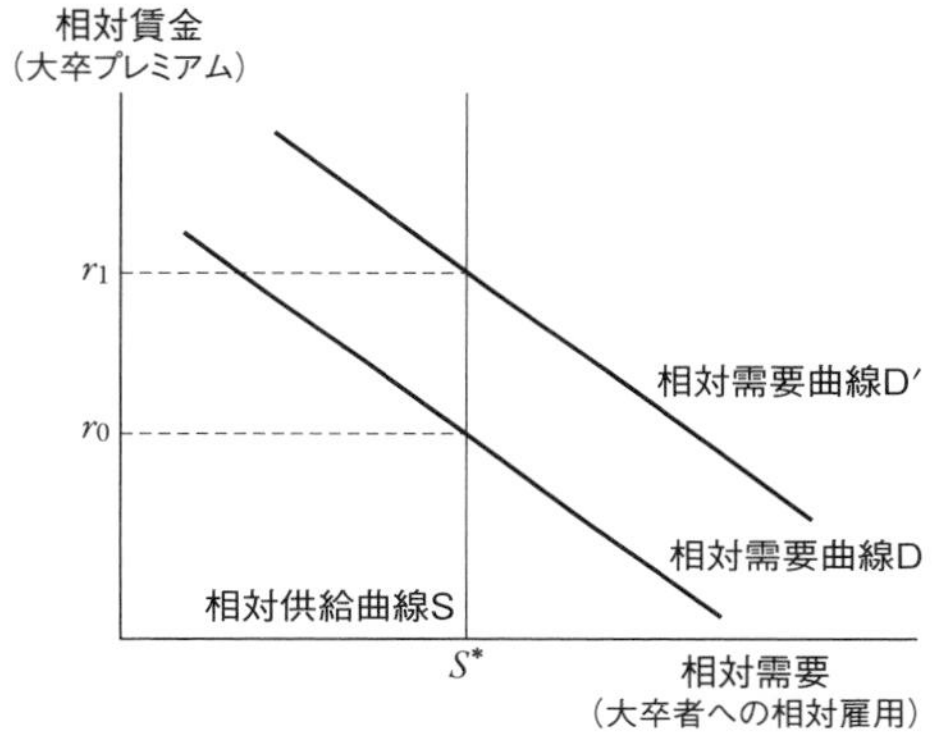

出所 : Borjas（2013:298）を参照して筆者ら作成。

平均的には大卒者のほうが高賃金のため、相対賃金は通常1よりも大きくなる。ここでは、労働賃金の格差拡大は、大卒プレミアムの上昇として理解できる。

それに対して横軸には、高卒者に対して大卒者をどの程度雇用するかが表される。企業が求める高卒の労働者と大卒のそれとの比率、つまり、高卒者に対する大卒者の需要量は、（大卒者への）相対需要と呼ばれる。雇用する企業側からすれば、賃金上昇は費用の増大となるため、大卒プレミアム（相対賃金）が上昇する（＝大卒者の賃金が高くなる）と、大卒者への相対需要は減る。つまり、相対的に高卒者

2——Piketty（2013）第8章を参照。日本においても、同様の傾向が少なからず見られることについてはMoriguchi and Saez（2008）を参照。また、日本の不平等について幅広く検討したものとしては、大竹（2005）を参照されたい。

3——SBTCに関する平易な議論は、Borjas（2013）などの労働経済学のテキストブックにある。本章の説明はこうしたものに従うが、詳細な議論については、Katz and Murphy（1992）やAcemoglu and Autor（2011）などを参照。

への需要が高まる。このことは、相対需要曲線Ｄが右下がりとなることを意味する（大卒者の賃金が「高い」場合、需要は減る）。

一方、大卒者と高卒者がどの程度の比率となるかは、簡単には変わらないため、相対供給量は一定（＝S^*）となる。このことは、相対供給曲線Ｓが短期的には縦の直線となることを意味する。この相対供給曲線Ｓと相対需要曲線Ｄの交点により、大卒プレミアムの実際の水準が定まる。

所得格差が拡大する背景を考えるうえで、この二つの曲線の変化は重要である。技術進歩は、大卒の労働者の相対的重要性を変化させる。つまり、相対需要曲線に影響を与える。20世紀の技術進歩、そして現在進んでいるデジタル化によって、先端的な技術に適応できる労働者の重要性が高まっている。すなわち、技術進歩やデジタル化によって、大卒の相対的重要性が増したのである。このことは技術進歩によって、相対需要曲線が右上にシフトすることを意味する（ＤからD′へ）。その結果、大卒プレミアムに対する上昇圧力が生じることになる（r_0からr_1へ）。一方で、大学が増設されたり定員が増えたりすることで卒業生の供給が増えれば、大卒プレミアムを引き下げる圧力が増す（相対供給曲線Ｓが右側へシフトする）。技術進歩と大卒・高卒比率のあいだの関係によって、大卒プレミアムが変化していくというのが、ＳＢＴＣの基本的発想である。

１９７０年代に提案されたＳＢＴＣは、ローレンス・カッツ（Lawrence Katz）とケヴィン・マーフィー（Kevin Murphy）が行った１９９２年の研究により一躍脚光を浴びることとなる（Katz and Murphy 1992）。この研究を発展させたクラウディア・ゴールディン（Claudia Goldin）とカッツの『教育と技術の競争』によれば、20世紀のアメリカにおける賃金格差の大部分はＳＢＴＣによって説明できる（Goldin and Katz 2009）。ＳＢＴＣに基づけば、アメリカにおける賃金格差は、技術進歩によって大卒への相対需要が高まる一方で、大学生の供給が増えないことによって生じたのである。

この理論によって、デジタル化がもたらす不平等について明快な説明を与えることができる。デジタル化が進めば、その技術変化に適応した労働の需要が増える。高いスキルに対する労働需要の相対的な増加は、デジタル化に適応した労働者とそうでない労働者との賃金格差をもたらす。ＳＢＴＣに基づくこうした議論は、デジタル化によって不平等がもたらされることをかなり説得的に説明している。

ＳＢＴＣによって理解できることについて、次の二つの点を強調しておこう。

まず、デジタル化によって生じ得る賃金格差に関して、先ほどの議論では、あくまでデジタル化に適応した人材の供給が一定の比率に保たれていることを前提に議論していた。つまり、そのような人材の供給が増えれば、格差はなくなるのである。この意味で、ＳＢＴＣはデジタル化による賃金格差の解決方法をも提示していると言えよう。

そして、より重要な点として、ＳＢＴＣにおける賃金格差は、経済効率性を達成するために生じたものであることが挙げられる。つまり、そこでの賃金格差は、より高い生産性を達成するために不可欠な社会的変化の一つであり、労働者はそれぞれ、各人の生産性に応じた対価を受け取っているのである。つまり、SBTCに基づく賃金格差の説明においては、デジタル化に適応した人材が、そうでない人びとを搾取しているとか、雇用主が搾取を行っているということではない。それは、マルクス的な不平等の拡大とは全く関係のないかたちで不平等が生じ得ることを示している。[4] 端的に言えば、マルクス的不正義が一切存在しないような、賃金格差の拡大が起こり得るのである。

4-2 二極化する人びとの役割

タスクから見た働き方の変化

SBTCは極めて単純な理論でありながら、高い説明力を持っている。だが、さまざまな欠点も指摘されている（Acemoglu and Autor 2011）。その中で、デジタル化と関連して重要なのは、人びとの所得が二極化していることを説明できない点である。アメリカの賃金格差の内実を見ると、高いスキルが必要となる職業が増えると同時に、低スキルの仕事への需要も増えている。こうしたなかで、中間的なスキルを必要とする仕事が減っているのである。すなわち、スキルで見たところの中間層が減少しているのである。

所得の二極化を捉えるには、私たちが働く際の「タスク（業務）」を考慮に入れる必要がある（Acemoglu and Autor 2011）。ここで言うタスクとは、労働者が実際に行う業務における本質的な特徴のことを指す。仕事という言葉から想起するのは、多くの場合、「職業」のことではないだろうか。職業とは、一つないしは複数のタスクからなる職務（ジョブ）を担う立場（ポジション）として定義される。[5]それで言えば、職業を尋ねられたときに「会社員」とか「公務員」と答える人は多いかもしれないが、これらは厳密な意味では職業ではない。同じ会社員や公務員といっても、外回りの営業、内勤事務員、技術者、生産機器の運転工など、さまざまな職業が存在する。そして、これらの職業を構成するエッセンスがタスクである。

ならば、タスクとは、より具体的にどのようなものだろうか。

大別すれば、定型的タスクと非定型的タスクの二種類に分けられる。例えば、会社の経営者と経理担当者について考えてみよう。会社の経営者は、突然降りかかるアクシデントや事案について、自分なりのアイディアを出して、それを周囲の人びとと相談しながら解決策や対応法を考えなければならない。経営者のタスクは日々変化しており、次に何をするのか、全てがあらかじめ決まっているわけではない。それに対して、経理担当者のタスクの場合、時期によって繁閑の違

4――このことは社会学的には、マイケル・ヤングの言うところの「メリトクラシー（エリート（大まかに言えば、高スキル（高知能）人材）による支配、業績主義・効率主義）」が実現した状態と言えるかもしれない（Young 1994[1958] = 2021）。

5――ＩＬＯによる国際標準職業分類（ISCO）の定義を参照。（https://ilostat.ilo.org/resources/concepts-and-definitions/classification-occupation/）

いはあるものの、その業務内容は一定のルールに基づいており、前例のない事態に対し自ら意思決定しなければならないことはそう多くない。つまり、経理担当者のタスクは定型的（ルーティン）なものが中心となるのに対し、経営者のタスクは非定型的（ノンルーティン）なものが中心となると整理できよう。

デービッド・オーター（David Autor）らは、定型的タスクをさらに二つの種類に、非定型的タスクをさらに三つにそれぞれ分けることで、タスクを以下のように計五つに分類している（Autor, Levy, and Murnane 2003）。

1. 非定型分析業務（nonroutine analytic tasks）：研究、調査 など
2. 非定型相互業務（nonroutine interactive tasks）：教育、経営など
3. 定型認識業務（routine cognitive tasks）：事務など
4. 定型手仕事業務（routine manual tasks）：製造、農林水産など
5. 非定型手仕事業務（nonroutine manual tasks）：サービスなど

1番目の非定型分析業務と2番目の非定型相互業務は、高度な知識とその応用、そして断続的な意思決定が必要となる。平均的な賃金は、ほかの業務に比べて高い。それに対して、非定型手仕事業務、つまり非定型であっても手作業が中心となる業務は、他と比べて賃金が平均的に低い。

そして、定型認識業務と定型手仕事業務は、中間的な賃金水準となる。

全てのタスクをこの五つのいずれかに分類できるとすれば、社会全体の労働のあり方は、どのタスクがどれくらいあるのかという観点から把握できる。

この観点に基づいてアメリカの場合を見てみると、近年、これらのタスクの割合に大きな変化が起きている（Autor 2015）。オーターによれば、3番目と4番目の業務、つまり二つの定型業務が大幅に減っているのである。それに対して、三つの非定型業務が増えている。ここでの要点は、5番目の非定型手仕事業務は量的には増大しつつも低賃金であることである。結果として、中間的な賃金水準の仕事が減少することで、賃金水準の二極化が進んでしまう。つまり、デジタル化がその社会の労働のあり方を変化させ、二極化を引き起こす可能性があるのである。

定型業務は、機械やコンピューターによって代替されやすい。それらに置き換えられるかどうかは、その業務がどれだけ「自動化」しやすいかどうかで決まる。自動化とは、人間が行っていた作業を、機械やコンピューターで処理できるように変換することを指す。自動化するための鍵が「アルゴリズム」である。アルゴリズムは広い意味では、問題を解くための手順や計算方法を意味する。人の手で行っていた作業を、形式的な問題と解釈して、完全な手順を表現してしまえば、その作業を自動化することが可能となる。定型業務は、まさにそれが定型的であるからこそ、アルゴリズムによる自動化がしやすいのである。

これに対して、他者とのきめ細かなコミュニケーションを必要とする作業などは、機械やコンピューターによる自動化が難しいのである。

こうしたことを背景として起こり得る、二極化を伴う不平等の拡大は、深刻な社会問題を引き起こす可能性があるとの指摘が少なくない。というのも、中間層に厚みがあり、その暮らしが豊かであることが、近現代の民主主義社会による達成だと広く考えられてきたからである。実際、「一億総中流」という言葉は、戦後の日本が豊かになっていくことを象徴するものだった。豊かな中間層の存在は、社会がうまく機能するために必要な条件と考えられることも少なくない。

ところが、先に述べたように、アメリカでは所得の二極化が深刻化している。二極化は所得だけではなく、健康をめぐっても広がっている。近年の研究によれば、アメリカでは、中間層に位置する非ヒスパニック系の白人男性の死亡率が急上昇している（Case and Deaton 2015）。そもそもアメリカは、国際的に見て健康水準が高い国ではないが、それでも全体的な平均寿命は伸びている。こうしたなかにあって、健康状態が悪化している大きなグループが存在するような状況は他の先進諸国には見られず、かなり特異だと言える。健康あるいは寿命は、どのグループでも徐々に改善していくというのが通例である。アメリカで見られる、一部のグループのこうした健康悪化の理由として教育制度の失敗や生活圏の荒廃が考えられている。

日本の雇用はデジタル化するのか？

では日本の状況はどうだろうか。

ＳＢＴＣの観点から生涯賃金について見る限り、大卒プレミアムは大きく上昇してはいない（何・小林 2015; Kawaguchi and Mori 2016）。加えて、所得の二極化という観点から見ても、日本における変化は比較的緩やかである（池永2009）。

社会階層論と呼ばれる社会学の分野がある。この分野の研究者は、出身階層（origin）、教育（education）、到達階層（destination）がどのように関連しあっているのか、またその関連がどのような趨勢を辿るのかに関心を置く（Ishida et al. 1995）。ＳＢＴＣとの関係では、学歴の獲得（Ｅ）と職業的な地位の達成（Ｄ）の関連がどれくらいの強さで推移してきたのかが重要な問題となる。社会階層論では、こうした関心のもと、過剰教育（overeducation）がどの程度生じてきたのかも検討されてきた。[6] 過剰教育とは、本来の需要よりも多くの高学歴者が存在することで、高い学歴を獲得しても、受け取るべき「対価（リターン）」が得られない状態のことを指す。

日本の社会階層研究者によって１９５５年から10年おきに実施されてきた、ＳＳＭ[7]調査を用いた研究では、過剰教育は生じていないという説が長らく支持されてきている（Ishida 1993; Sato and Arita 2016; 古田2018）。局所的には変化は見られても、学歴と職業的地位の達成や収入との関連の強さは、全体としては安定的に推移してきたのである。学歴獲得による賃金や職業上のリターン

6――近年では、社会階層論でもＳＢＴＣに対する関心が集まっている。

7――“Social Stratification and Social Mobility”の略。

に関する限り、日本ではＳＢＴＣも過剰教育も、今のところ明確にはあてはまらないのである（Hannum et al. 2019）。

こうした状況をもたらす理由として、労働力人口の需給バランスと、組織内でのタスク配分という二つの要因を挙げることができよう。前者については、大都市を中心とする１９８０年代の大学新設の抑制と、定員増の抑止策とが大卒者供給量に影響を与えることによって、過剰教育が抑え込まれた可能性がある。[8] 他方で、技術発展に伴う専門的・技術的職種への相対需要が上昇するなかで、高学歴者の相対供給量が拡大しつつも、少子化によって若年労働力人口が減少したため、ＳＢＴＣによる影響が穏やかなものとなった可能性も考えられる。格差・不平等をめぐる問題を考えるうえで、人口構造という要因は欠かせない。

一方、組織内でのタスク配分という問題は、組織の質に関連するものだが、こちらは学歴と職業的地位とのあいだで生じる格差と密接に関わっている。ＯＥＣＤ諸国の中で、日本は定型業務が多いことが知られている（de la Rica and Gortazar 2016）。多くの職場において見られる「引き継ぎ」のことを思い起こしてみよう。「引き継ぎ」は、フォーマル、インフォーマルを問わず、何らかのマニュアルが存在していることを示している。多くの引き継ぎが必要であることは、担当する業務に定型的なものが少なからず含まれていることを意味するだろう。膨大な引き継ぎに辟易した人も少なくないはずである。

それでは、日本ではなぜ定型業務が多く残っているのだろうか。これに関して、山本勲（2017:

45–52）が示唆的な議論を与えている。

理由の一つとして、山本（2017）によって指摘されているのは、日本の雇用システムや制度との関係である。１９９０年代末以降に、日本では男女を問わず、非正規雇用の割合が大幅に増えている。[9]非正規雇用では定型業務に従事することが相対的に多いが、賃金は正規の労働者と比べて低い。このことは、労働者が定型業務を行う際の費用が、従来よりも低下したことを意味する。こうしたなかで、いくらコンピューターが安価となって、業務を置き換えるための費用が下がったとしても、定型業務をコンピューターで代替するインセンティブは低くなってしまっている（山本2017: 51–52）。

山本（2017）は、別の問題も挙げている。日本の雇用システムにおけるもう一つの大きな特徴は、労働者が一定の期間でさまざまな部署に移っていく「ローテーション」型となっていることである（Aoki 1988, Chapter 2）。このため一人の労働者は、一つのタスクではなく、営業部・人事部・企画部のようにさまざまな部署を経験し、その中でジェネラリストとして育成されていく

8——例えば、同じ東アジア社会でも急激に高学歴化を遂げた韓国では、賃金に関する大卒プレミアムは大きく減少している（Hannum et al. 2019）。

9——特に90年代以降の雇用の変化については、Gordon（2017）を参照されたい。また、正規と非正規労働の詳細な分析については、神林（2017）を参照。神林（2017）には、二極化とタスクについての、示唆に富む議論も含まれている。

（山本2017: 45–46）。このため、正規社員として長期雇用されている場合であれば、その人のタスクは、さまざまな定型業務と非定型業務の組み合わさったものとなっている。こうしたなかで、定型業務と非定型業務が切り離しにくい仕方で結びついている可能性があると、山本（2017: 46–47）は指摘している。

しかし、長期的に見れば日本においても定型業務は少しずつ減ってきている。池永肇恵と神林龍の近年の研究によると、高度成長期にあたる1960年代以降、定型手仕事業務や定型認識業務が占める割合は一貫して下がってきているのである（池永・神林2010; Ikenaga and Kambayashi 2016; 神林2017）。このことから、時間はかかったとしても、最終的にはアメリカと同じように二極化が進むかもしれない。特に日本の場合、企業内部や企業間で、補いあって相互調整を行いつつ制度設計しているため、企業や産業で調整されてしまえば、定型業務の量が大きく下がる可能性がある。つまり、産業や企業の構造転換のもとで、定型業務のコンピューターへの置き換えが起これば、全体として非定型業務の割合は増大するだろう。特に、変化を抑える要因となっている、長期的雇用やローテーションに代わる制度が導入された場合、このような流れが加速すると考えられる。

本来、定型業務がなくなることは決して悪いことではないはずである。繰り返しの多い単純作業や、誰ともコミュニケーションがないような労働から解放され、よりやりがいのある仕事や活動に注力できるかもしれない。人間らしい活動の領域が拡がるとすれば、定型業務から非定型業務への移行は、人びとの人生を豊かにする可能性がある。つまり、デジタル化によって、人間としてより充実した生活を送れるようになるかもしれない。

しかし、もし定型業務がなくなれば、日本の雇用状況は大きく変わるはずである。定型業務に従事していた人が、非定型業務を行うことを求められる可能性があるだろう。例えば、50歳まで定型業務にずっと従事してきた人が、急に経験のない非定型業務を行うことは簡単ではないはずである。定型業務から非定型業務へと移行するには、普通の意味での技術とは異なる能力を身につけなければならないのである。

例えば、マニュアルには示されていないことを、状況に応じてその場で判断することが求められたり、極めて責任の大きい長期的課題についての判断が求められることになる。これまでマニュアルに従って作業してきた人が自らの判断基準に基づいて意思決定を行うのは、心理的な面から考えても簡単ではないだろう。さらには、状況に応じて何かを創案したり、コンピューターのアルゴリズムでは解けないような高度な課題について解決策を考えなければならなくなる。

こうしたことから、日本で進むかもしれない二極化が、大きな歪みを生み出す可能性もある。例えば、定型業務の消失とともに、中間層に属する人びとの割合が減少した時に、もともとの中間層が高所得の非定型業務へとスキルを変化させられず、低所得者層が分厚くなることが想像される。その結果、豊かな人生を送るグループと、そうでないグループとに明確に分かれてしまうだろう。デジタル化は、所得や資産だけでなく、社会的地位といった部分でも不平等を生み出すかもしれないのである。

デジタル化による不平等のゆくえ

このような分断は、社会がデジタル化していく過程で生じることであって、移行期を過ぎれば状況は大きく変わっていくかもしれない。世代交代が進むにつれて、全ての人びとが教育によって高度なスキルを身につけられるとすれば、長い目で見ると、社会の平等化は進んでいくだろう。もしそうなるのであれば、一時的な二極化はやむを得ないと言えるかもしれない。しかし、二極化された状況が一時的なものではなく、固定化されてしまう可能性も否定しきれない。

デジタル化が社会を平等化するのか、それとも不平等化するのか。デジタル化が、労働者の立場や賃金にどのような影響を与えるのかが、このことを考えるうえで鍵となる。先の図表4－1を示した際に、ＳＢＴＣに基づく賃金格差の論理を述べた。ＳＢＴＣに基づけば、格差は経済効率性を達成するために生じたものであり、そこにおいて労働者は、各人の生産性に応じた対価を受け取っている。この理論が、現実の賃金格差をうまく説明していること、そして、労働搾取に起因するマルクス的な不平等とは関係がないことから、現在の賃金格差を安易に労働搾取と結びつけるわけにはいかない[10]。実際、こうしたことを踏まえて、現代の賃金格差には問題がないという立場をとる経済学者もいる（Mankiw 2013）。

だからといって、現代の賃金格差には問題がないと言い切ることはできない。技術の導入やスキルの獲得の背景にあるアクターの動きに注目する必要もあるだろう。例えば、教育改革の文脈でしばしば論議の的となる「能力」は、特定の立場や時代ごとの価値観に影響されて社会的に構築されたもの、という議論もある（中村2018）。労働者に要求されるスキルがどの程度デジタル化に対応すべきなのか、どのようなスキルにより多くの報酬を支払うべきなのかも、特定のグループの関心を反映させて決まっていくかもしれない。

ここで言う「特定のグループ」とは、労働者の雇用主（経営者、使用者）かもしれないし、特権的な地位にある人びとかもしれないし、利益団体や特定の組織であるかもしれない。米国などでは、社会的なアジェンダを設定する際に、利益団体や所得上位層の意向が反映されやすいことがよく指摘される。効率性が満たされていても、背後にある権力関係が極めて不当なものであるなら、その結果を受け入れがたいものと見なしても不自然なことではない[11]。

この問題は、伝統的には「労使関係」という観点から捉えられてきた。これには、マルクスが産業革命期の労働に見て取った搾取の問題が関わっている（第二章）。労働者は、自らの意思で

10——本書第二章ではデジタル化社会における情報搾取の問題に言及しているが、これは労働に基づく搾取とは異なる性質のものである。

11——権力（power）とは、社会関係の中で自らの利害関心に基づく意志を（相手の抵抗にもかかわらず）貫徹あるいは実現できる能力（ウェーバーの表現に忠実であるならば「チャンス」）のことを指す（Weber 1921-1922[2019]; Wright 2000）。

雇用主と雇用契約を自由に結べるといっても、雇用主は労働者よりも大きな力を持っており、そこで結ばれた雇用契約は、労働者にとって圧倒的に不利なものになると考えられたのである。こうしたことから、雇用主を含む使用者から労働者を保護するために、労働法をはじめとするさまざまな社会制度が発展した。

デジタル化によって、労使間の権力関係はどのように変化していくのだろうか。そのことを完全に見通すことはできない。デジタル化によって、労働市場が開放的になって転職が容易になったり、事業を立ち上げやすくなったりする可能性はあるだろう。その意味ではデジタル化は、労働者にとって不利な環境を改善するかもしれない。

ただ実際には、労働者が高度なスキルを蓄積することが難しくなる側面もある。企業に長期雇用されて、安定的に収入を得ることは、長期的な視野で考えることを可能にし、働きながら新たなスキルを獲得するインセンティブを与える面もある。ところが、デジタル化によって、労働者が雇用主から自由になると、企業内で実施されていた研修など、新たなスキルを獲得するための機会を失う可能性もある。例えば、Uber Eatsなどシェアリング・エコノミーの場合、雇用主や使用者から自由になれるものの、この業務を続けることで身につけられるスキルには限界もあるだろう。シェアリング・エコノミーでは、「非定型手仕事業務」（賃金の低い非定型業務）であることが少なくないのである。逆に企業内で労働することで、知らないあいだに身につけるスキルも多くある。

デジタル化社会では、スキルを得る機会が十分にあることが、人びとにとって重要となるはずである。しかし、デジタル化が進んだ後に、企業内でどのようなスキル獲得ができるようになるかは見通しにくい。一方、教育はスキルを獲得するための重要な機会であり続けるはずだが、高所得者の家庭に生まれた人とそうでない人とで、同様の機会が得られるとは言い難い。このような機会の不平等について、次に検討していきたい。

4-3 世代を超える機会の不平等

アメリカン・ドリームの黄昏

所得や資産、社会的地位などをめぐる不平等が、長期的にどう変化していくかを考えるうえで重要なのは、機会の平等である。

ここまで、労働市場における不平等の問題を検討してきたが、広い意味でそれは、結果の平等にかかわる問題である。所得だけでなく、「どのような働き方をするか」といったことも、家庭環境や教育のプロセスを通じて生まれた「結果」である。もちろん、機会の平等と結果の平等を単純に分けて考えることはできず、両者は互いに作用し合う。例えば、所得の不平等について、自由で公平な競争の結果だといっても、不利な状況に置かれた家庭で生まれ育った人にとって、そうした環境からのスタートが公平であるはずもない。世代間で有利・不利の連鎖がどのように、あるいはどの程度生じているのかは、格差・不平等研究における重要テーマの一つである（石田浩2017）。

より上位の学校段階への進学や、進学先の学校・学部などをどのように選択することができるのか、そして、どのように職業を選択することができるのか。自分のその後の人生の歩み方に大きく影響する局面での選択の幅を、広い意味での「機会」と捉えることができる。こうした意味での機会は、生まれ育った家庭環境からも影響を受けるため、不平等が生じやすい。貧しい家庭に育っても、教育や職業選択の機会が十分に得られるように、公教育をはじめとする社会制度が存在する。

デジタル化が進むなかで、機会の不平等は拡大しているのだろうか。あるいは、公教育などの社会制度が機能することで、世代間での不平等の連鎖が弱まり、機会の平等が達成されつつあるのだろうか。ここでは、デジタル化と機会の不平等に絞って考えてみたい。

これまで見てきたように、二極化の原因の一つは、デジタル化を背景とする労働力のコンピューターへの代替が進んだことによる労働需要の変化である。つまり、デジタル技術での置き換えが可能な中間層の業務が消えつつあるのである。このように業務が二極化することで、人びとの所得も二極化していく傾向がある。

デジタル化を背景とする二極化がもたらす変化は、世代間の不平等の再生産にどのような影響を及ぼすだろうか。子どもが地域から受ける影響は、重要なものの一つとなるだろう。どのような地域で暮らすかは、子どもの成長を大きく条件づける。地域社会が豊かなものであれば、たとえ貧困な家庭に生まれたとしても、それなりの生活水準を実現できる可能性がある。

例えばアメリカの場合、１９６０年代までの地域社会は、人びとが多面的な交流を行うためのネットワークとして有効に機能していたという（Putnam 2015）。つまり、それぞれの親は自分の子どもだけでなく、地域の子どもたちのことも気にかけていたのである。たとえ他人の子どもであっても、犯罪などに巻き込まれないよう声をかけたり、教育の機会を広げられるよう何か手助けをしたり、職業選択に際して相談に乗るような雰囲気があったのである。

ロバート・パットナム（Robert Putnam）は『われらの子ども』の中で、当時のアメリカにおける社会的移動の様子を生き生きと描いている（Putnam 2015）。その記述からわかるのは、貧しい家庭の出身であっても教育を受けることで中流階級に上昇することも、上流階級から中流階級へと下降することも少なくなかった、ということである。ところが現在では二極化が進むだけでなく、流動性が極めて低い社会となってしまった。貧しい家庭に生まれた場合、親と同じように貧しい生活を送る可能性が高くなっているのである。他方で、豊かな家庭に生まれれば、それだけで高所得者となる可能性が高い。つまり、ゼロからのスタートで努力により成功をつかむような「アメリカン・ドリーム」は消えてしまったのである。

70年代にアメリカ経済が低迷したことで、産業構造が大きく変化し、80年代以降、人びとのあいだで不平等が広がり始めた。それによって、アメリカでは機会の平等が大きく揺らいでいった。

パットナムは、地域全体を包み込む人びとのつながりが弱体化してきたことが問題の鍵だと考えている。70年代以前において人びとは、近隣の教会などで毎週のように開かれるイベントに参加することで、社会的連帯を形成することができた。その地域の大人たちは、他の家の子どもであっても、「われらの子ども」として気にかけてもいた（Putnam 2015, Chapter 1）。このようにして、コミュニティーがうまく機能していたのである。

しかし、70年代以降になると失業率が上昇し、仕事を失った人びととその家族は、所属していたコミュニティーにアクセスしにくくなってしまう。さらに、高所得者たちが高級住宅街へと移り住むことで、富裕層同士の交流は深まるものの、低所得者層の人びととのつながりは希薄化していった。結局、地域社会は分断され、高所得者階層、低所得者階層それぞれのコミュニティーが形成され、両者間の交流はなくなるのである。そして、人びとは地域の子どもを「われらの子ども」と思わなくなり、自分たちの子どもを名門大学に通わせることに全力を上げるようになるのである（Putnam 2015, Chapters 4&5）。パットナムのこうした議論は、デジタル化以前のアメリカの社会変化についてのものだが、示唆的であり、かつ印象深いものである。

社会学者のジェームズ・コールマン（James Coleman）は、お互いに信頼しあう人びとのネットワークのことを「社会関係資本（ソーシャル・キャピタル）」と呼んだ（Coleman 1988）。コールマンによれば、社会関係資本は、教育における人びとの達成度を高めるうえで役に立つ。たとえ両親の教育水準が高くなく、貧しい家庭に生まれたとしても、近隣住民と活発な交流があり、社会

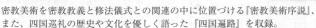

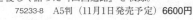

ちくまQブックス

片岡則夫
マイテーマの探し方
——探究学習ってどうやるの？

題材選びから資料探し、テーマ設定の落とし穴まで——三千名の中高生の実例から一番知りたい急所がわかる。自分の興味と問いを見つめる学びの大航海に出発しよう！

25117-6　四六変型判（11月20日発売予定）1210円

小泉武夫
世界一くさい食べもの
——なぜ食べられないような食べものがあるのか？

脱ぎたてのお父さんの靴下の60倍以上くさいという魚の缶詰「シュールストレミング」。世界にはなぜこんな食べものが存在するのか？ その謎に迫る。

25118-3　四六変型判（11月20日発売予定）1210円

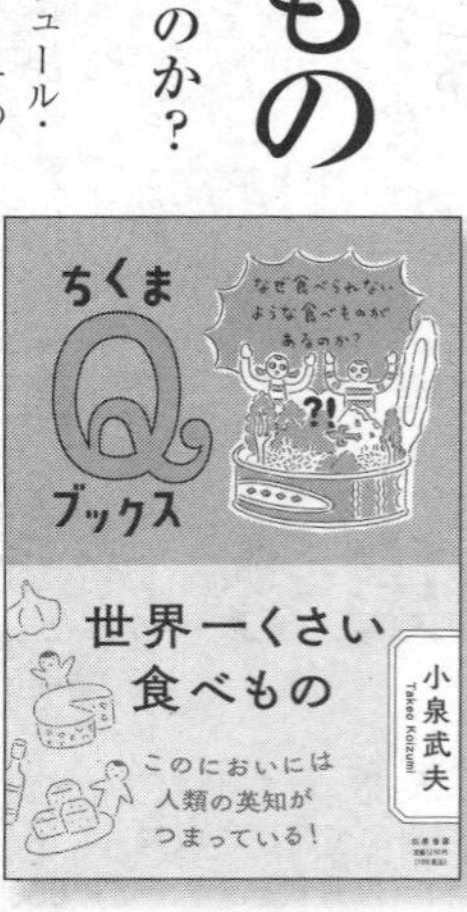

6桁の数字はISBNコードです。頭に978-4-480をつけてご利用下さい。

好評の既刊
＊印は10月の新刊

江戸衣装図絵　武士と町人
菊地ひと美
江戸の男たちの衣装は仕事着として発達した。やがて、遊び心や洒落心から様々なスタイルが生まれた。そのすべてをカラーイラストで紹介する。
43775-4 1045円

ふしぎな社会
橋爪大三郎　いちから考える社会学の最良の入門書
43728-0 880円

理不尽な進化　増補新版　●遺伝子と運のあいだ
吉川浩満　養老孟司氏、池澤夏樹氏、山形浩生氏、池谷裕二氏、伊藤亜紗氏、絶賛！
43739-6 1210円

終わりよければすべてよし　●シェイクスピア全集33
シェイクスピア　松岡和子 訳　全巻ここに完結！
04533-1 1045円

野に咲く花の生態図鑑【春夏篇】
多田多恵子　野山の植物に学ぶ生存戦略
43740-2 990円

先端で、さすわ さされるわ そらええわ
川上未映子　第14回中原中也賞受賞　伝説的第一詩集
43734-1 660円

水瓶
川上未映子　第43回高見順賞受賞　豊潤にして奔放な詩的宇宙！
43735-8 660円

愛についてのデッサン　●野呂邦暢作品集
野呂邦暢　岡崎武志 編　本読みに愛される人気作　遂に文庫化
43749-5 990円

新版 いっぱしの女
氷室冴子　傑作エッセイ、奇跡の復刊！
43755-6 770円

向田邦子ベスト・エッセイ
向田邦子　向田和子 編　人間の面白さ、奥深さを描く！
43659-7 990円

向田邦子シナリオ集　●昭和の人間ドラマ
向田邦子　向田和子 編　没後40年、不滅の向田ドラマ！
43751-8 990円

おじさん酒場　増補新版
山田真由美 文　なかむらるみ 絵　いつだって酒場はみんなの味方
43756-3 990円

日本の気配　増補版
武田砂鉄　違和感と憤りを書き続ける
43759-4 924円

楠勝平コレクション　●山岸凉子と読む
楠勝平　山岸凉子 編　初収録作品を含む貴重な作品集
43760-0 990円

刀　●文豪怪談ライバルズ！
東雅夫 編　刀にまつわる名作、競演！
43757-0 1100円

＊**鬼**　●文豪怪談ライバルズ！
東雅夫 編　恐ろしくも妖艶な作品たち
43772-3 1210円

＊**文庫手帳2022**
安野光雅 画　かるい、ちいさい、使いやすい
43765-5 748円

6桁の数字はISBNコードです。頭に978-4-480をつけてご利用下さい。

関係資本に良いかたちでアクセスできるならば、高い教育を受けることも、生涯にわたって豊かな生活を享受することも可能なのである。アメリカの社会的分断の大きな原因は、このような社会関係資本が低下したことにあると言えるだろう。[12]

デジタル化と機会の平等

ではデジタル化は、機会の平等にどのような影響を与えるのだろうか。社会の流動性を高めるのだろうか、それとも低下させるのだろうか。

かつては地域社会が担っていたであろう社会関係資本をデジタル化が代替する場合は、流動性を増す効果が望めるだろう。

発展途上国でも、インターネットの普及率はかなり高いところまで来ている。そして、先進国では貧困層でもインターネットにアクセスできるようになっている。いったん端末を手に入れれば、高度な知識や最新の情報を得ることができるため、貧困層であっても、より多くの機会に恵

12——パットナムとコールマンの議論には、それぞれ独自の社会関係資本論の枠組みがある。パットナムは、社会全体での一般的な信頼を生み出す橋渡し的なつながりの重要性を主張する（Putnam 2000＝2006）。それに対してコールマンは、モラルハザードを防ぐことに寄与する、より凝集的で監視的なネットワークの重要性を説く。こうした違いはあるが、コミュニティーのなかで人びとが相互に信頼しあい、お互いに助け合う状況を作り出すために、人びとの社会的なつながりを重視しているという点では共通しているのである。

まれることになるはずである。

そこで重要なのは、こうした知識や情報をうまく活用するための能力を身につけることであり、現場の教師や保護者が、そのためのサポートをすることである。知識や情報を活用するための能力にせよ、それを身につけるうえで有用なサポートが得られる環境にせよ、全ての個人が十分に得られるとは限らない。原理的には、情報をうまく活用するための教育は可能であり、実際に知識を身につけることができれば、流動性を高める効果を持ち得るが、情報アクセスが普及するだけでは、機会の平等は保障されない。

さらに、デジタル化によってアクセスできるようになるのは、情報と知識だけではないということも重要だろう。インターネットにアクセスすることで、人びとはコミュニティーに参加することができる。例えば、同じ趣味や関心を持つグループを作るための機能を持つアプリなどを用いることで、人びとはより容易に自発的なグループを作ることができる。さらに、直接会わなくても、インターネット上でさまざまなコミュニティーを作り、やりとりをすることができる(Wellman et al. 2001)。

つまり、デジタル化によって、人びとが交流するためのさまざまなプラットフォームの構築が可能になったのである。あくまで人びとは自発的に交流するのであって、もし途中で参加意思を失えば、簡単につながりから離脱することができる。それに対して近隣住民の場合、簡単には絶縁できないため、相互にプレッシャーを与えることになってしまう。インターネットを通じて形成された関係が、完全な自発性に基づいているかは慎重に判断しなければならないが、ある程度は自由で緩やかな仕方で社会関係資本が形成される可能性はある。すなわち、どのような出自(人種、出身地域、出身家庭)やどのようなジェンダーの人であっても、プラットフォーム上で自由かつ平等に意見交換をすることで、社会関係資本に広くアクセスできるようになるかもしれない。

こうしたことは、デジタル化によって、流動的な社会が実現する可能性を示唆するが、他方で、楽観的空想に過ぎないという見方もあるだろう。実際、アメリカではデジタル化が進んだ結果として二極化が進み、所得の不平等も拡大しつつある。いままでのところ、デジタル化によって社会関係資本を充実させることができているのは、高額所得を実現させているグループなのであって、貧困層ではないのである。

デジタル化が社会関係資本にアクセスする機会を平等化するという見方に対する根本的な批判の一つとして、社会関係資本の全てがよいわけではない、というものがある。つまり、蓄積することで自分の人生が豊かになるような社会関係資本も数多く存在する一方で、人生を悪化させるようなものも存在する。不良グループのネットワークはその典型例かもしれない。不良グループも、ある種の信頼によって成り立っているが、そのグループに属したからといって、(少なくとも経済的には)労働を通じて一定以上の対価が得られるような人的資本の蓄積にはあまりつながらないだろう。場合によってはデジタル化によって、禁止薬物や犯罪グループのネットワークなどの社会関係資本にも簡単にアクセスできるようになる。こうした考え方に従えば、デジタル化は、コミュニティーをさらに分断し、蓄積される社会関係資本の質についても二極化を進める効果を持ち得るのである。

機会の平等に対してデジタル化が与える影響について、頑健な命題を与えることは極めて難しい。われわれの持ち得るデータがまだ十分でないとか、理論的枠組みが弱いということもあるが、実のところ、デジタル化による影響がどのようなものになるのかは、政策に大きく依存しているからである。つまり、データ保護をどのように行うのか、大きな利潤を生み出しているプラットフォーム企業だけでなく、インターネット上の広義のプラットフォームの規制をどのように行うのかといったことが鍵を握るのである。個人のデータを適切に保護し、プラットフォームがよりよい社会関係資本を提供し、信頼性の高い情報にアクセスしやすくなるならば、人びとの人生を豊かにするための機会は拡がってゆくことになるだろう。

その実現は容易ではないかもしれないが、可能性はある。

韓国のＩＴ企業の従業員を対象とした調査データを用いた、位置ベースソーシャル・ネットワーキング（Location-Based Social Networking, LBSN）サービスと社会関係資本の関連を検証した興味深い研究がある（Park and Han 2018）[13]。この研究によれば、ＬＢＳＮサービスを積極的に利用している人ほど、他者への信頼や互酬性規範（相互扶助に対する義務感のようなもの）の水準が高い。ＬＢＳＮサービスユーザーの振る舞いが他のユーザーから評価され、それが自身の評判につながるという社会的なサンクション（賞罰）の仕組みが構築されているからである。信頼や規範は、社会関係資本にとって重要な構成要素であるが、この研究は、デジタル化社会でも社会関係資本の創出が不可能でないことを示唆しているだろう。しかしながら、労働のデジタル化における二極化の問題があったように、こうした変化が不平等を拡大する可能性もある。それだけでなく、他者に対する評価情報がＬＢＳＮサービスに蓄積されることは、データをめぐる所有の問題を引き起こしもするだろう（第二章）。

労働からの「解放」？

デジタル化は、機械やコンピューターによる自動化を通じて労働を代替することで、単純なことを行うような仕事をなくしてしまうかもしれない。改めて強調すると、定型的な労働を機械に置き換えることは、ある意味で歓迎すべきことである。労働を「苦痛」だと捉えるのであれば、苦痛からの解放を意味するからである。しかし、「労働は苦痛である」と言ってしまっていいのだろうか。実際、失業することを不幸だと感じる傾向があることを示す研究も多くある（Frey and Stutzer 2002）。

13——特定の国のＩＴ企業の従業員を対象としているという点で一般化には限界があり、因果関係の検証という点でも留保すべき点が残ることには注意すべきである。

ここで論点となるのは、「労働（labor）」をどのように捉えるかである。労働に対しては、古くから二つの見方が存在する。一つは、労働することを軽蔑し、嫌悪するような考え方である。ここでは労働を、人間が必要にかられて行うものであり、どこか良くないものだと見なしている。例外もあったが、古代ギリシアでは、こうした考え方が一般的であった。だからこそ、このような労働から解放されるために、ポリスでは奴隷制度が正当化されたのである。[14] 労働を苦痛として捉えるようなこの見方は、特権階級のある中世以前の多くの社会で見られたと言ってよいだろう。

もう一つの見方では、労働は賛美の対象となる。それは、生命を維持するのに必要な財を得るために働くことに感謝し、敬意を示すような立場である。産業革命期から現代社会では、「時は金なり」といった格言が生まれてきたが、これは勤労の精神が社会の中に広がっていったことを示している。[15] 例えば、近年行われた「世界価値観調査（World Value Survey）」によれば、日本を含めた世界の国々の多くで、半数以上の人が「労働は社会に対する義務である」ということに、何らかの形で同意している。[16] もともと、良くないものと思われていた労働が賛美の対象となっていったのは、近代以降、資本主義が発展する中で生じた変化だろう。[17]

この二つの労働観の違いは大きいが、これは、どちらが正しいかを決するような問題ではない。労働というアクティヴィティの捉え方も、時代とともに変わるということが重要である。

アレントは、労働という概念について、興味深い見方を提示している。

「労働」とは「人間の肉体の生物学的過程に対応する活動力である」と彼女は述べている（Arendt

1958:7〔訳書19頁〕)。つまり労働は、生命を維持するために必要な消費財を生み出す人間のアクティヴィティとして捉えられているのである(アクティヴィティとは、広い意味での人間の行う営為であり、アレントの「労働」概念の詳細については第六章を参照)。

典型的な消費財の一つである農作物を生産する場合、単純な反復を伴う作業を行わなければならない。そして、単純な反復が多く伴う作業は定型的なものである傾向があるため、大づかみに言って、定型業務はアレントの言う「労働」に対応するだろう。

アレントによれば、近代において人びとは「労働者の社会」を生きはじめた(Arendt 1958:126〔訳書188頁〕)。そこは、「労働という、生命の必要物を確保し、それを豊富に提供する公分母

14――ギリシアのヘシオドスのように、労働を賛美する立場をとった者もいたことを忘れてはならない。

15――「時は金なり」はベンジャミン・フランクリンによる有名な言葉である。「働かざるもの食うべからず」も労働の倫理に関連した言葉である。これは、新約聖書にもある言葉であるため、近代以降に広まったものではない。

16――これは、「世界価値観調査」のWave 7の質問項目40に該当する。詳細はHaerpfer et. al.(2020)を参照。この結果は、WVS Results By Country 2017-2020で簡単に確認できる。関連した質問項目39、41、43も参考にされたい。

17――資本主義の発展により、こうした勤労精神が生まれたか、それとも、逆に勤労精神が資本主義を発展させたかは古くからある社会科学の大きな問題と言える。こうしたことについて古くは、ヘーゲル、マルクス、ウェーバーといった思想家たちが論じている。特に、因果関係を明らかにするのが難しい歴史的事実に関しては、厳密な検証は困難である。この点については、日本の経済史の文脈で論じているCato and Nakabayashi(2020)を参照。アレントは、技術制約が人びとの考え方に影響するというマルクスの考え方に批判的であり、思想や人びとの考え(広い意味での制度)が広く社会へと影響を与えるという立場をとっているようである。

に、すべての人間的活動力を標準化することにほぼ成功した」社会である（Arendt 1958:126［訳書189頁］）。このことが意味するのは、かつてはそうではなかった多くのアクティヴィティが「労働」として捉えられるようになったということである。少し控えめに言うなら、人間の生活の中心に「労働」が据えられるようになったのである。こうした考え方のことを、労働中心主義ということができる。

このような労働中心主義は、近代社会の産物である、統計的な生活時間の把握の仕方にも見て取れる。そこで「一次的」とされるのは、睡眠や食事といった生命維持のためのアクティヴィティであり、「二次的」とされるのは、市場価値と結びついている、狭義の意味での労働である。そして、残りの全てが「三次的」とされ、余りもの（残差）として扱われている。このような時間の定義の順序が、労働中心主義の存在を示している。

こうしたなかで、デジタル化は、人びとを「労働」から解放し、「労働者の社会」とは異なる社会へと向かわせる力を持ち得ているだろうか。技術進歩によって、多くの定型業務が消えつつある。日本におけるその度合いは、先進諸国の中でまだ高くはないが、定型業務がなくなる傾向は今後、強まっていくだろう。定型業務の多くがＡＩや機械に代替されていけば、人間が自ら行う必要があるのは、高度な分析やコミュニケーションを含む非定型的な業務となるはずである。こうした非定型業務が増えれば、アレントの言う「労働」以外のアクティヴィティを増やす余裕ができるかもしれない。より非定型的な働き方が増えたり、労働以外の「余りもの」とされている時間が「主要な」時間の使い方となったりするかもしれない。デジタル化によって余裕が生まれた分だけ、私たちは余った時間をどう使うか、という新たな選択に直面するのである。

4－4　開かれたデジタル化社会

結果の不平等や機会の不平等に対して、デジタル化がどのような影響を与えるのか、はっきりとはまだ分からない。だが、間違いなく言えるのは、デジタル化による恩恵を、多数の人びとが受けることができなければ、デジタル化社会は良いものとはなり得ないということである。

定型業務が消えていくことで、社会階級の二極化が進むかもしれない。低所得しか得られない「労働」を行うグループと、「労働」とは異なるアクティヴィティに従事し、それによって高所得が得られるグループである。たとえ人類が労働から解放される方向に向かったとしても、一部の人びとに「労働」を押しつけることで成り立つのであれば、それは望ましい状況とは言い難い。所得の二極化だけでなく、生活あるいは「生」そのものの二極化ともいうべき状況が出来《しゅったい》するとすれば、結果と機会の両面で深刻な格差のある階級構造が生まれることを意味する。

生まれた時点で、どのような生き方の可能性があるかということは、その社会を表していると言ってよいかもしれない。生まれた家や出自によって、一生のうちで何が達成できるかが決まってしまわず、人びとに広く機会が開かれているような、自由な社会像はデジタル化のユートピアの姿の一つだろう。仮に機会が広がったとき、人びとは、いったいどのような生活をするのだろうか。次の第五章では、デジタル化が進む中での、生活における時間の使い方について考えていくことにしたい。

第五章

デジタル化と余暇

5−1　時間の捉え方と使い方の変容

本章では「デジタル化は生活のなかの余暇にどのような影響を与えるか」という問題を考えることにする。デジタル化が進めば、経済活動のために行われる労働の一部はＡＩや機械に取って代わられる（第四章）。こうした事態が進行してゆけば、それまで労働に費やされていた時間は、他のことに費やされることになる。人びとはこの「余った」時間に何をしているのだろうか。これは、デジタル化によって「余暇（leisure）」がどのような影響を受けるのかという問いである。

余暇とは文字通り「ヒマ」のことであり、しなければならないことが特になく、手が空いている状態である。このため、余った時間、すなわち生活時間の「残余」と捉えられることが多い。しかし１９７０年代頃から、余暇を享受できることが豊かさの重要な要素だと主張されるようになった。[1] 現在では余暇など不要だと考える人はあまりいないだろう。

こんにちでは、「余暇社会」という呼び方も使われるようになった。多様な余暇の過ごし方が可能になったことを背景に生まれた言葉とも言えるだろう。その余暇は、デジタル化のなかで大きな変化に直面している。なぜなら、経済活動だけでなく生活そのものがデジタル化の影響を受けているからである。

生活のデジタル化は、私たちに良い影響を及ぼすのだろうか。人びとの余暇の機会を拡げるという意味では、恩恵をもたらしていると考えることができるだろう。テレビ番組や映画などのオンデマンド配信サービスの利用によって、映像コンテンツの視聴時間は確実に増えた。サブスクリプション方式の音楽配信サービスは、若い世代を中心に広く利用されている。興味を持った番組を、受信地域や放送時間に制約されずに視聴できるサービスも、今や多くの人が日常的に利用するようになっている。デジタル化によって、私たちは効率的に余暇を過ごせるようになっているのである。

しかし、私たちはこの手のサービスを消費して過ごすだけでなく、余暇を使って自ら作品を制作して発表したり、意見を発信したりもしている。地域社会やサークルなど、自分が所属するコミュニティーを維持するための活動をする人もいる。自分のために書いていた日記やプラモデルを組み立てるといった余暇活動も、人の目に触れる可能性はある。その意味では、純粋に私的なものと思われてきた活動にも、程度の差はあれ、その内容が人びとの目に触れ、共有されるという社会性を帯びたものが含まれる。このような余暇は、人間らしい生活の重要な要素であり、効率化という考え方にはなじみにくい。例えば、ある人が絵を描くのは、描くことそのものに喜びがあるからで、絵を素早く完成させることが目的なのではない。そしてデジタルツールは、この

1――社会政策的には、経済成長が一定の限界を迎えるなかで福祉水準の向上を実現することの重要性が国民生活審議会による『社会指標――よりよい暮らしへの物さし』（1974年）でも議論されている。このなかに、検討すべき項目の一つとして余暇が含まれている。

ような作品を制作するとき、あるいは出来上がったものを発信する際に、新たな手段を提供してくれるのである。

本章では、余暇活動とデジタル化の関係を、生活時間に関する議論と各種データの集計結果に基づいて議論してみたい。

日本社会における余暇のすがた

デジタル化と余暇がどのように関連しているのかを論じる前に、まず日本社会における余暇の状況を概観しておくことにしよう。そもそも日本で暮らす人びとは、どれくらい自由な時間を持っているのだろうか。

社会全体の余暇時間あるいは自由時間の量を把握するのに適しているのは、1976年から総務省統計局が5年おきに実施している「社会生活基本調査」(以下、社会調)である。[2]この調査では、指定された連続する2日間について、調査対象となった個人がいつ、何をしたのかを15分刻みで調べている。このデータから、日本社会において人びとがどのような生活時間の使い方をしているのか、その概要を知ることができる。

社会調では、1日におけるさまざまな行動は、「1次活動」「2次活動」「3次活動」の三つに大別されている。1次活動とは睡眠、食事など生理的に必要な行動を指す。2次活動は、社会的・経済的生活を営むうえで必要な義務的行動のことを指し、賃金労働や家事労働、学業はその典型例である。

そして、日常会話で使われる「余暇」という言葉の意味に最も近いのが「3次活動」である。社会調では、1次と2次の活動「以外の各人が自由に使える時間における活動」[3]と定義されている。その中心は、趣味として行う活動や休養（家でくつろぐ時間など）である。

他の二つと比べて、「3次活動」に含まれるものは多様である。このような領域が「3次」と位置づけられていることから、生活時間の中で余暇というものが、暗に「余った部分」と見なされていることが見て取れよう。[4]他の二つの区分と比べて「下位」にある時間と想定されていると言ってもよいかもしれない。呼称からの推察に過ぎないが、余暇とは、生命維持に必要な活動と義務としての労働をこなしたうえで、時間が許せば享受してもよい時間として捉えられていると見ることができよう。

日本社会では、平均してどれくらいの余暇時間があるのだろうか。図表5-1は、社会調の時系列統計から、25歳から69歳までの年齢層ごとに、週平均での1日あたりの3次活動時間を取り出して示したものである。[5]

言うまでもないが、生活時間は1日につき24時間である。したがって、1次から3次までの活

2——この調査の詳細は総務省統計局ウェブサイト上で確認できる（https://www.stat.go.jp/index.html）。

3——この調査の「用語の解説」を参照（https://www.stat.go.jp/data/shakai/2016/pdf/kaisetua.pdf）。

4——こうした区分は日本に特有のものではなく、生活時間調査を実施している社会で共通である。

図表5-1　生活時間における3次活動時間（週平均）の推移

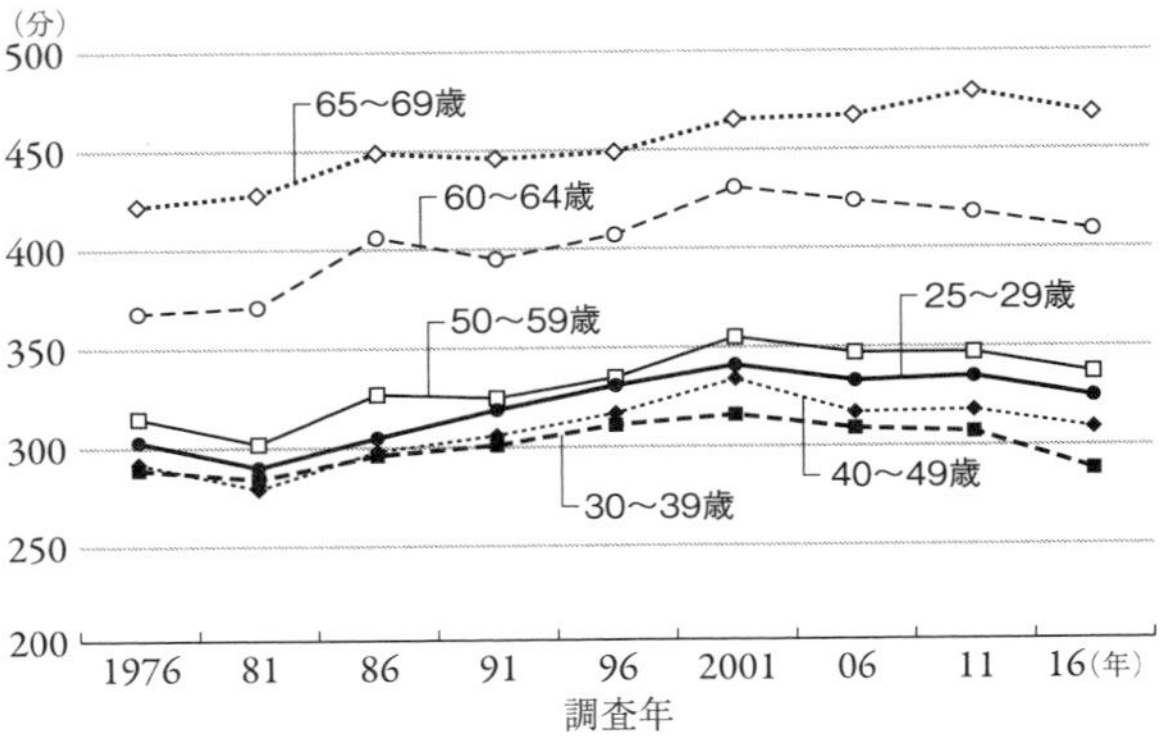

出典：「社会生活基本調査」（総務省統計局）時系列統計より筆者作成

動のうち、どれかが増えればその分、ほかの領域の時間を減らさなくてはならない。例えば、余暇の時間を増やすために食事や睡眠の時間を削ったとすれば、1次活動時間を減らして3次活動時間を増やしたことになる。なお、図表5－1では六つの年齢層に区分してあるが、年齢層によって、就業状況や配偶者の有無に違いがあり、このグラフにはこうした人口学的特性の違いも反映されていることには注意していただきたい。

図表5－1を見ると、60代とそれ以外の年齢層で3次活動時間の長さに開きがあることがわかる。60代では1日あたり6時間以上を費やしているが、それより若い年齢層では5時間程度となっており、1時間以上の差がある。60代では定年退職などを経た無業者が多いのに対し、50代までは就業者が多いという違いによって、この差が生まれていると考えられる。

もう一つわかるのは、どの年齢層でも2000年まで3次活動時間が増加傾向にあり、その後、横ばいまたは微減傾向にあることである。その要因として、女性の就業率が上昇したこと、そして（きわめて微々たるものとはいえ）男性の家事労働時間が増加したことによる２次活動時間の増加が考えられるが、[6]デジタル化に着目する本章ではこうした背景についてこれ以上踏み込むことはしない。少なくとも、１９７０年代と比べれば緩やかながらも余暇社会化が進んできたのである。

図表５－１からわかるように、１９８０年代から２０００年代にかけて余暇時間が増えてきたわけだが、その内実はどのようになっているだろうか。

社会調では、２日間にわたる行動を15分刻みで尋ねる際に、20の行動分類を設けている。このうち、３次活動に該当するのは次の10区分である。[7]

5――性別など他の属性によってグラフを描き分けることもできるが、グラフが見づらくなるので、ここでは省略している。政府統計ポータルサイトe-Statから独自集計もできる。

6――女性の就業率上昇については内閣府『男女共同参画白書　平成29年版』、男性の家事労働時間の推移については総務省統計局『平成28年社会生活基本調査　生活時間に関する結果　要約』などを参照されたい。

7――あらかじめ設けられた選択肢から、あてはまるものを回答する方法をプリコード方式と言う。社会調では別途、行動の内容を自由記述で対象者が回答する方式による調査も実施しているが、本章ではプリコード方式による調査（調査票A）の集計結果を用いる。過去の調査年では選択肢の内容が若干異なるものの、おおむね２０１６年のものと同一である。

「移動（通勤・通学を除く）」
「テレビ・ラジオ・新聞・雑誌」
「休養・くつろぎ」
「学習・自己啓発・訓練（学業以外）」
「趣味・娯楽」
「スポーツ」
「ボランティア活動・社会参加活動」
「交際・付き合い」
「受診・療養」
「その他」

2016（平成28）年の結果を見ると、図表5－1で示した年齢区分のどの年齢層においても、長く時間をかけている上位三つの活動は、「テレビ・ラジオ・新聞・雑誌」「休養・くつろぎ」「趣味・娯楽」であった。このうち、「テレビ・ラジオ・新聞・雑誌」と「休養・くつろぎ」に最も長い時間をかけている。そして、余暇の過ごし方としては、この二つの活動が中心となるということは、過去の社会調でもほぼ同様の結果が出ている。

したがって、1970年代後半以降の日本社会では、マスメディアからの配信を視聴・閲覧するコンテンツ消費か、特に何もせずにゆっくりするような、時間そのものを消費することが、一般的な余暇の過ごし方だと言える。

一方、「ボランティア活動・社会参加活動」や「交際・付き合い」といった、社会的な活動、あるいは身近な他者とつながる活動は、余暇の過ごし方としては少数派である。同じく2016年の結果を見ると、3次活動時間に占める割合は、前者で1パーセント程度、後者で5パーセント前後であり、時間にすると数分から20分弱である。[8] 友人・知人とともに活動することが相対的に多いと考えられるスポーツも、余暇時間に占める割合は小さい。この傾向は、過去の社会調でも同様である。

このように日本社会では、半世紀近くにわたってテレビや新聞などの視聴・閲覧と、特に何もせずゆっくり過ごすというのが余暇活動の主流をなし、ボランティアのような社会的な活動をする人びとは少数派であり続けた。本章では前者を「消費型余暇」、後者を「参加型余暇」とそれぞれ呼ぶことにし、議論を続けたい。

日本社会における余暇の過ごし方の特徴は、国際比較によっても知ることができる。経済協力開発機構（OECD）のデータ[9]では、日本の1日あたりの余暇時間は約4時間40分である。これ

8――実際にはこれらの活動をしない人の時間を0分として平均したものである。そのため、ある一人の個人が実際にその活動をした時間の平均ではないことに注意が必要である。現実にその活動をした人びとのなかでの平均時間（行為者平均時間という）はより長い。

は集計されている33カ国中、下から数えて9番目である。[10] 余暇時間が長い上位5カ国はノルウェー、ギリシャ、ベルギー、ドイツ、フィンランドとなっており、これらの国と日本とのあいだには約1時間以上の差がある。余暇時間の中でも、「交際・付き合い」[11]に相当する時間は日本が最も短く、17分である。このデータの中央値（ちょうど真ん中の位置の値）は51分であり、その3分の1に過ぎない。

日本で余暇に求められるもの

ここまで、生活時間をめぐる調査結果を通して余暇のあり方を見てきた。国際比較をすると、日本の場合、参加型余暇は一般的ではなく、テレビ視聴などを中心とする消費型余暇が中心であることがわかった。このことは、人びとの意識にもあらわれている。２００７年に行われた国際比較調査から、各国の人びとの余暇に対する意識を見てみよう。[12]

この調査には、余暇に何かをすることで「本当の自分になれる」か、あるいは「他の人との関係を深められる」かという質問項目がある。日本語の表現としてやや大げさに感じられるかもしれないが、[13] ここではそのことはおいておく。

図表5－2（156頁）は、これらの質問に対して「非常にある」または「かなりある」と回答した対象者の割合を国・地域別に示したものである。どちらの項目についても、日本は最も低いグループに位置していることが一目でわかる。「本当の自分になれる」については、日本と台

湾のみが50パーセントを切っている。「他の人との関係を深められる」についても、日本はキプロスに次いで2番目に低く、31パーセントである。

このことから、日本社会に暮らす7割弱の人びとは、余暇を通じて自分らしさに気づいたり、他者との関係が強まったりしていない、と言えるだろう。日本人が中間的回答を好むことはよく知られており、控えめに回答している可能性もあるが、心理学の研究では韓国でも同じような傾向が見られるという。[14] そうであるとすれば、韓国も日本と同じような結果となるはずである。しかし、図表5－2を見ると、「非常にある」「かなりある」と回答した人の割合は韓国のほうが日本よりも明らかに高い。中間回答傾向説によっては、日韓の違いは説明できないのである。

9——OECD Time Use Databaseデータ。詳細はウェブサイトを参照（https://stats.oecd.org/Index.aspx?DataSetCode=TIME_USE#）。

10——調査時期は国によって異なるが、生産年齢人口（15歳～64歳）における1日あたり生活時間の大まかな国際比較ができる。このデータでは、最新の生活時間調査の結果が反映されるようになっており、本章を執筆した時点で日本のものは、２０１６年の社会調の結果が用いられていた。

11——Time Use Databaseでは"visiting or entertaining friends"と書かれている項目である。

12——国際比較調査プログラム（International Social Survey Programme, ISSP）。日本は１９９２年にグループに参加し、ＮＨＫ放送文化研究所が代表機関を務めている。その概要は小野寺（2003）などで詳しい。本章で用いたＩＳＳＰデータは、ドイツのＧＥＳＩＳよりダウンロードした（ZA4850, https://doi.org/10.4232/1.10079）。

13——オリジナルの質問文は、それぞれ"to be the kind of person you really are?"と"to strengthen your relationships with other people?"である。

14——田崎・申（2017）による研究を参照されたい。

図表5-2　余暇の意義に関する国際比較

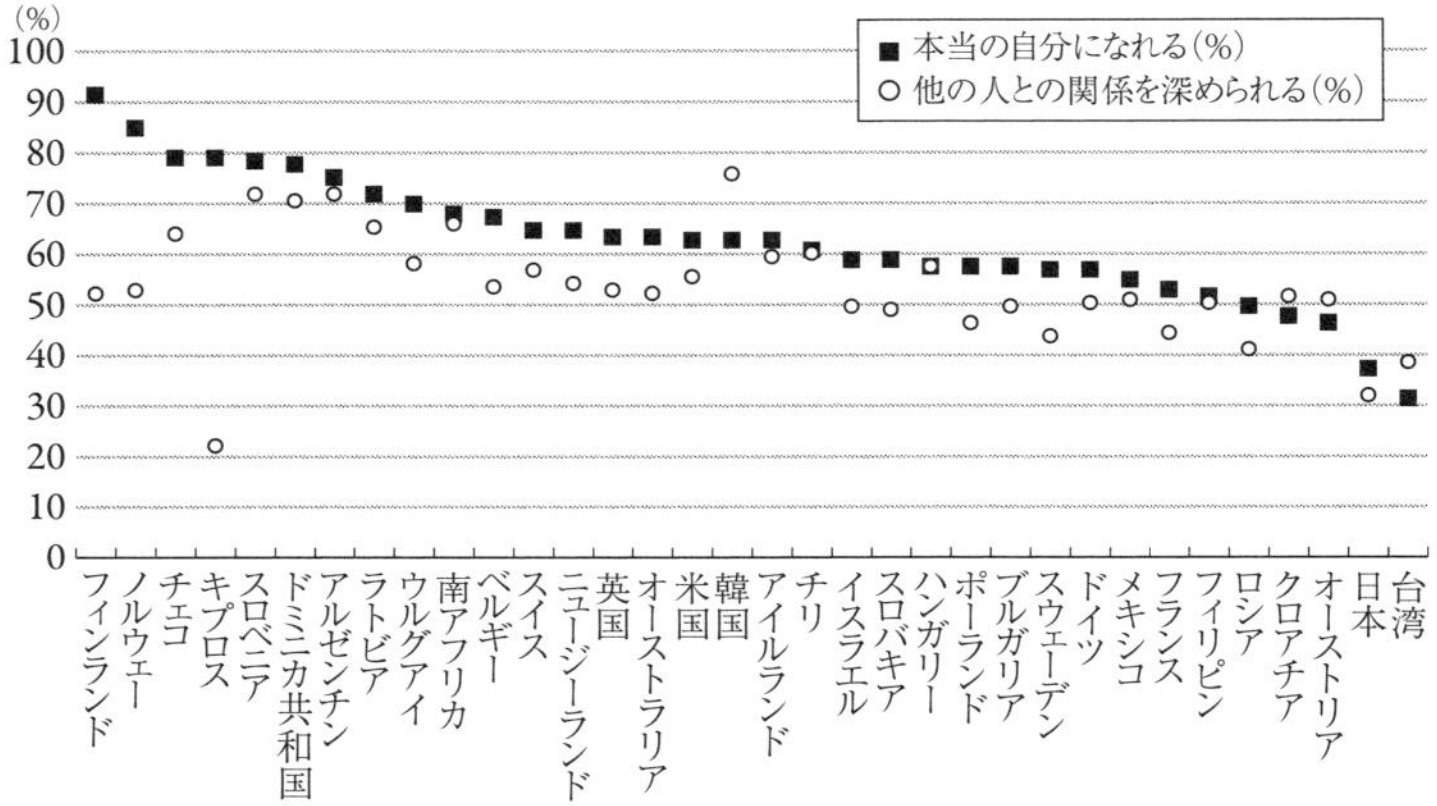

出典：ISSP（International Social Survey Programme 2007）個票データより筆者作成

つまり、中間的回答を好むという日本人の傾向がこのデータに反映されていたとしても、その程度はさほどでもないということになる。したがって、日本社会では余暇に積極的な意義づけがそれほどなされていないと考えるべきだろう。このことは、余暇時間に社会的な意味合いを見出さず、コンテンツの視聴・閲覧のように消費的に過ごす傾向にあるという、先の議論とも整合的である。

さらに言えば、日本社会における余暇は「私事性」が強いと言えるのではないだろうか。

アレントの「私的領域」と「公的領域」の概念に当てはめて考えてみると、日本社会の余暇活動は、私的領域としての色彩をより強く帯びていると言えるだろう。日本で生活する人びとは、ボランティアなど社会性を帯びた参加型の余暇活動にはあまり時間を割かず、いつでも中断できるような消費的余暇を過ごしてきたし、そうであることが普通だと考えている可能性がある。

私的領域と公的領域は相互補完的である（第三章）。私たちは、休養やくつろぎ、テレビ視聴などコンテンツを消費する趣味を通じて心身をリフレッシュすることで、公的領域での社会的活動（広い意味でそれは政治的とも言える）において力を発揮できる。その意味で、受動的かつ消費的な余暇は、人びとが積極的に社会参加するために不可欠ですらある。

余暇の私事性それ自体は問題ではないが、余暇活動における公的領域での活動とのバランスについては再考の余地があるだろう。日本社会における余暇活動は、海外と比べて、公的領域での活動という性格が弱い。公的領域での活動の充実には必ずしもつながらず、私事性の強い余暇の過ごし方は、どのような経緯で生まれてきたのだろうか。以下では、私事的な余暇社会がどのように誕生したのか、その経緯を素描してみたい。

5－2　私事的な余暇社会の誕生

生活リズムとしての時間

1日＝24時間という考え方は、古代からすでに存在していた。しかし、多くの人びとは、時間というものを、より質的なものとして理解していた。質的なものというのは、日の出、日の入りや鶏の鳴き声など、自然の中で生じる何らかの現象によって、1日というまとまりをいくつかに区切っていたということである（Dohrn-van Rossum 1992）。日時計や天候に左右されない水時計なども考案・使用されるようになったが、時間を目分量で捉えるという点で変わりはなかった。人びとは、季節や昼夜の周期性を利用しながら時間を定義してきた。

中世から近世に入ると、機械式時計が開発される。この時点で、1日を24等分して時間を刻むことが技術的に可能になった。こうした変化の背景には、領主や寺院、教会といった、政治的あるいは宗教的権威が、人びとの生活を時間によって管理しようとしたことがあった（Dohrn-van Rossum 1992）。機械式時計は塔などに設置され、一定の時刻になると鐘を鳴らすなどして、人びとの生活を規律づけてきた。とはいえ、この段階では個人の一つ一つの活動の量を時間として表現し、生活のあらゆる場面で利用することはまだ大衆化していなかった。

計量される数値としての時間

ヨーロッパでは19世紀にかけて産業革命が起こり、工場労働が拡大していった。その過程で、大勢の労働者一人ひとりの生産量を効率的に把握する必要が生じた。一定の時間でどれだけの生産が可能かを知るには、生産に要する時間をある程度正確に測定しなければならなかった（Dohrn-van Rossum 1992）。

そのため労働時間という考え方が生まれたが、この時点では、生活時間という考えは誕生していない。なぜなら、前節で述べたような余暇（あるいは自由時間）という考え方がまだ存在していなかったからである。この時代の使用者（資本家）にとって、労働者の労働時間は長ければ長いほどよく、その他の時間とのバランスを考えるということは、あまり顧みられなかったと思われる。現代から見れば明らかに過酷な長時間労働が横行していた。

社会が近代化するにつれ、人びとの生活時間は「等質的で絶対的・数学的な時間」（Postone 1993［訳書352頁］）によって切り離された。労働時間に対する規制はまだ存在していなかったため、使用者にとっては、労働者をできるだけ長時間働かせることが合理的な判断であった。こうした状況のもとでは、労働者は自由時間を享受できようはずもなかった。

労働時間の規制と余暇時間の獲得

労働者の長時間労働が改善されるようになるのは、工場法が各国で制定されるようになってからである（Friedmann 1960）。1919年に採択された国際労働機関（ILO）第1号条約の前文では、1日8時間、週48時間労働が定められている。[15] 労働時間規制によって労働者の労働時間は短くなり、その結果、「アフター・ワーク・マン（the after-work man）」、つまり仕事後の息抜きや

15――ILOの邦文ウェブサイト（http://www.ilo.org/tokyo/standards/list-of-conventions/WCMS_239178/lang--ja/index.htm）。2020年8月18日参照。この勧告は、2004年に開催されたILO総会で「時代遅れ」のものとされ、撤回されたという（同ウェブページより）。

遊興の時間を楽しむ人びとが登場した（Friedmann 1960: 510）。空き時間（spare time）、すなわち自由時間を人びとが持つようになると、次第にその中身にも人びとの関心が及ぶようになった（Szalai 1966: 4）。

概念としての自由時間と余暇時間は必ずしも一致しない。[16] しかし、人びとが手にした自由時間の中で余暇を十分に享受することの重要性は、ＩＬＯ第21号勧告（１９２４年の余暇利用勧告）にも記されていた。[17]

この勧告より1年前の１９２３年に大阪市社會部調査課が編纂した『餘暇生活の研究』では、[18] 余暇時間を労働時間と睡眠時間を除いた時間であると定義づけ、「今日の如き資本主義的生産組織が存續する限りは餘暇利用は都市民衆を人間として生活せしむるの時間」であると、その重要性を指摘していた（大阪市社會部調査課1923: 9）。すでに20世紀前半の時点で、余暇を含む自由時間は「人間性の回復、主体性の確保、自由な行動選択」（松原1977: 3）のために重要という認識が持たれていたのである。

技術発展と生活の効率化

ここで論じているような自由時間は、工場などでの労働時間が短縮されたことで生まれたと言えるが、法規制だけで、こうした時間が確保されたのではない。工場の機械生産の効率性が高まったこと、交通・通信技術の向上により移動・輸送や種々の手続きに要する時間が短縮化されたたことなども影響している。その結果、労働時間を短縮しても生産性の向上が期待できるようになった。こうした技術環境の進展があったからこそ、法規制が現実味を帯びたという側面もあるかもしれない。

技術環境は、自由時間で何をするか（できるか）にも影響を及ぼす。例えば、テレビやラジオ、あるいはゲーム機が人びとのあいだで普及していなければ、自宅での娯楽は増えなかったであろう。そして、その普及に一役買ったのが、マスメディアや娯楽産業である。こうして余暇活動が商品化され、社会に広がっていった。

つまり技術の発展は、私事的な余暇活動を促進する力ともなってきたのである。企業活動、家事労働が技術によって効率化されることで、私たちはより長い自由時間を手にするようになった（生活の効率化）。そして、マスメディアや娯楽産業が、効率的に余暇を過ごすための手段を提供することで、自分一人で、あるいは家族とともに楽しむ活動の比重が高まった。余暇社会における私事性は、技術の発展とともに高まってきたのである。

16――余暇概念の系譜については、やや古いが新津（1977）や松原（1977）の整理と論考が非常に参考になる。本章では、特に断りのない限り、自由時間と余暇時間をほぼ同義のものとして用いている。

17――ＩＬＯの邦文ウェブサイト（http://www.ilo.org/tokyo/standards/list-of-recommendations/WCMS_239340/lang--ja/index.htm）。

18――この書籍は国立国会図書館デジタルコレクションでも閲覧できる。

余暇の従属性と残余性

しかし、技術発展によって拡大した私事的な余暇が、労働への従属を前提にしていることには注意が必要である。『餘暇生活の研究』からの先の引用で、「餘暇利用は都市民衆を人間として生活せしむるの時間」という文章の前に、「今日の如き資本主義的生産組織が存續する限りは」と書かれてあったということは、余暇が労働を前提としていると大阪市の担当者らが理解していたことを示唆している。余暇が労働を再生産するための手段であって、余暇そのものは、追求すべき目的だと考えられていないのである。

こうした観点は、先述のＩＬＯの第21号勧告にも見て取ることができる（注15に記したように、この勧告は２００４年に撤回された）。該当する箇所の日本語訳は次の通りである。

（前略）右余暇の良好なる使用は、一層多様なる趣味を追求するの手段を労働者に与へ、又其の平常の作業に依り之に加へらるる過労を緩和することを得しめ、以て労働者の生産能力を増進し且其の生産高を増加すべく、従て一日八時間制より最大限度の成績を挙ぐることを助くるを得べきに因り、（後略）

余暇は労働者の疲労を取り除き、１日８時間の労働において最高のパフォーマンスを発揮させるために必要とされたのである。逆に言えば、余暇を享受するには相当程度の労働に従事しなければならない、ということである。ＩＬＯの勧告は基本的には賃金労働を想定しているはずだが、家事労働においても、余暇を享受する大前提として、家事を行うことが想定されているだろう。現代にあっても、おそらく多くの人が、余暇は次の労働に備えるためであるという意見に、程度の差はあれ賛成するのではないだろうか。

そうであるなら、余暇活動における私事性の上昇は、近代社会の特徴の一つと言えるかもしれない。大半の人は生きていくために、労働者として働かなければならない。言うまでもなく、際限なく労働を続ければ人は倒れ、労働を続けられなくなり、ついには生命を維持し得なくなる。そうなると、社会そのものが立ちゆかなくなることは想像に難くない。

したがって、近代社会では労働だけでなく余暇も、人が生き続けるために必要な活動なのである。松原（1977）は、余暇を含む自由時間は「人間性の回復、主体性の確保、自由な行動選択」のためにも重要だと指摘したが、おそらくそこにも「労働者としての」という暗黙の条件が付されていただろう。

労働のために余暇が存在するのだから、余暇においては、特にやるべきことがない状態でなければならない。つまり、余暇は労働に従属すると同時に、生活時間における「余った部分」でなければならない。余暇に対して、気力・体力を回復させること以外の積極的な意義が与えられてしまうと、労働力の再生産がおろそかになってしまうからである。このような観点に立つと、国際的に見て余暇時間が短いだけでなく、余暇に対して休息以外の意義をあまり見出してこなかった日本社会は、労働が生活の中心に据えられた社会における余暇のモデルを体現していると言えるかもしれない。

5-3 生活は加速しているのか?

デジタル化と余暇活動

技術発展によって私たちは余暇を手にしてきたが、それは明日の労働を可能にするためという条件付きのものであった。しかしながら、生産活動や家事の一定以上が機械化・自動化されたことで、私たちの生活の中でこれらの活動に要する時間が圧縮されたことは確かである。多少なりとも労力が節約され、条件付きであったとしても空き時間が増えることは、社会にとっても望ましいことだろう。

それでは、デジタル化も含めた現在の技術発展がこのまま続けば、余暇時間も増え続けるのだろうか。1日は24時間で、1次から3次までの活動時間のうち、いずれかが増えれば、残りは減る関係にあるということを先に述べた。余暇は労働に従属するため、余暇時間を増やそうとしても、労働時間まで削ることはできない。そうなると、睡眠や食事などの1次活動時間を削って、余暇時間を増やすことになるが、それにも限界がある。したがって技術発展が続いてゆくほど、余暇時間も増えるということにはならないのである。

余暇時間の増加には限度があるなかで、技術発展が余暇にもたらすのは、活動できる種類の増加だろう。例えば、最近のデジタル機器（タブレットなど）の宣伝文句の一つは、さまざまなことを高水準でこなせるというものである。絵を描くこと、写真や動画を撮影すること、それらを編集すること、これらのことが、専用の機器がなくても可能になってきた。インターネットに接続して、自分の作品をただちに公開することもできる。

２０１４年に配信された「好きなことで、生きてゆく」というYouTubeの広告は、やや大げさな言い方をすれば、労働と余暇の地位が逆転したことを象徴していると言えよう。少なくとも、学齢期の青少年を魅了する程度には、この広告のインパクトは有効であり続けている[19]。ただし現実には、ユーチューバーに限らず、このキャッチフレーズ通りに生きられる者は少数派である。

加速社会論の問題意識

では労働と余暇の地位の逆転は不可能なのか。このことを考えるために、「デジタル化によって、さまざまな活動が可能になったのに、余暇を使って稼げないのはなぜか」という疑問につい

19——小学生については学研教育総合研究所の『小学生白書Ｗｅｂ版』、中学・高校生についてはソニー生命の「中高生が思い描く将来についての意識調査」などで、「将来なりたい職業」の上位にユーチューバーが位置している。

て考えてみよう。

実はこの問いはあまり意味のないものである。なぜなら、余暇を使って稼ごうとするその瞬間に、その活動は労働となるからである。例えば、動画配信サイトの再生回数を増やそうとして映像編集を行う場面を想像してみよう。閲覧回数を増やすことだけを目的に編集を行うとすれば、その活動はもはや内発的なものというより、配信サイトの評価の仕組みに従属したものとなっている（評価の要素は、実際には閲覧回数だけでなくより複雑だが）。

この問題について、もう少し考えてみよう。賃金労働、家事労働のどちらにおいても、デジタル化によって労働が効率化され、余暇の選択肢が増えるとすれば、労働に従属しないような余暇を各人が手にするようになったとしてもおかしくはない。だが、私たちはその実現が難しいことを直感している。

なぜその実現は困難なのだろうか。労働の効率化によって時間的な余裕が生じても、その時間を余暇にあてられるとは限らないからである。空き時間に新たな労働が入ってくれば、生活時間における余暇と労働時間の構成比は何も変わらない。しかも、同じ長さの労働時間で複数の労働をこなさなければならなくなる。そのことは、多くの場合ストレスとなるだろう。同じ労働時間で、こなさなくてはならない労働の種類が増え、それがために身体的・精神的な負荷が大きくなれば、労働のための体力を回復させる必要性はより高まる。その結果、自分の意思でいつでも中断できる私事性の高い余暇だけが残ることになる。

デジタル化をはじめとする技術の発展による効率化が、かえって人びとを忙しくしてしまう社会のことを「加速社会（acceleration society）」と呼ぶ（Rosa 2003; Wajcman 2008）。加速社会には、交通・通信技術の発展などによる「技術的加速（technological acceleration）」、短い時間で多くのことに従事するようになる「生活のペースの加速（acceleration of the pace of life）」、これらの社会変動そのものが急速に生じるようになる「社会全体の加速（acceleration of society as a whole）」という三つの特徴があるという。本章では、技術的加速としての生活のデジタル化と、生活のペースの加速に関連する領域に焦点を絞って議論を進める。

デジタル化をはじめとする技術の発展によって、同じ時間でこなせること、こなすべきことが増え、結果として時間の密度が高まる。加速社会では、やるべきことが次々と生じてくるため、活動それ自体を目的にじっくりと取り組むことは難しくなる。一例として、映画やドラマの映像を権利者の許可なく10分程度に再編集した「ファスト映画」とよばれる動画を配信サイトにアップロードした者が、２０２１年６月23日に逮捕された事件を思い起こしてみよう。「ファスト映画」は多くの再生回数を記録したとされるが、その背景には日々の忙しさの中で、多くのコンテンツを素早く視聴したいという欲求を持つ人びとが多数いることがあるだろう。こうした状況のもとで、労働よりも優先させたい余暇活動を見つけ、そのための十分な時間を確保するのは容易なことではない。

加速社会論は経験的に正しいのか

加速社会論は、社会に関する一種の仮説を提示している。したがって、私たちが本当に加速社会を生きているのかは、データや資料を用いて調べてみないとわからない。複数のやり方があり得るが、ここでは、生活時間の社会学的研究を中心に、これまでの調査研究の結果をまとめておこう。

調査研究で行われてきたのは、個々人における生活のデジタル化と生活時間のあり方の関連を明らかにすることである。具体的には、生活のデジタル化が進んだ人とそうでない人とで、余暇時間の長さを比較するのである。データや方法によって多少のバリエーションは存在するが、これが基本的な考え方である。[20]

インターネットが広まるなかで、その利用頻度が生活時間をどのように変えてきたかが、研究の対象となってきた。アメリカの研究では、インターネットの利用頻度が高いと、友人・知人との会話や訪問の頻度が低くなるという結果が報告されている（Nie 2001; Nie and Erbring 2002）。その中でニーらは、ＩＴ化の副作用として人びとの社交性が弱まっていると指摘する。他者との意思疎通の方法が、五感を総動員するものからＥメールへと変わり、他者とのコミュニケーションのためのスキルや資質の形成が阻害されてしまうからである（Nie 2001: 432）。こうした知見や解釈は、加速社会論のモデルに沿ったものと言える。

しかし、こうした議論に対する反論もなされている。生活時間の社会学における第一人者であるジョナサン・ガーシュニー（Jonathan Gershuny）は、ある期間にわたって同じ人を追跡調査するパネル調査のデータを分析したところ、インターネットを利用するようになると、社会的活動のための外出がむしろ増えることがわかったという（Gershuny 2003）。[21] 憶測の域を出ないと留保をつけつつ、社交のために必要な情報を集め、友人・知人と共同で行う活動として何が最適かを考えるうえでインターネットの利用は役立つというのが、彼の解釈である（Gershuny 2003: 165-166）。

オリエル・サリバン（Oriel Sullivan）とともにガーシュニーは、加速社会論に対して懐疑的な見方を示した。2000年から15年にかけてデジタル化は大幅に進んだと考えられるが、2000年と15年にそれぞれ実施された生活時間調査データの分析から、生活のリズムが加速化したとは言えないと彼らは結論づけている（Sullivan and Gershuny 2018）。彼らはICT（internet communication technology）の利用時間と、「いつも慌ただしい」と感じるか否かの関連を分析し、ICTの利用時間が長いほど慌ただしさを感じやすいという結果は得られなかったという。

20――このほか、国際比較という方法も有力である。しかし、余暇活動の具体的な中身は、国によって異なる。また、生活のデジタル化の程度をどのように指標化するかということ自体が大きな論点である。そのため本章では、同じ社会的・経済的条件を共有する人びとのあいだでの、生活のデジタル化の程度と余暇活動の関連を検討することとした。

21――同じデータを用いた研究の中には、インターネットを使うように、あるいは使わないようになることは、ライフステージや生活環境の変化に依存しており、生活時間構成の変化は、IT化よりもライフステージの変化と対応しているとと指摘するものもある（Anderson and Tracey 2001）。

これを踏まえて、サリバンとガーシュニーは、加速社会論とは別の観点から説明をしている。2000年からの15年間で生じたことの一つは、労働市場への女性の参加が増える一方で性別役割分業が残ることで、女性は仕事と家庭生活をめぐる葛藤を抱えやすくなったということである。また、専門職や管理職では慌ただしさが増した。つまり、この15年間で生じたのは、加速社会化ではなく、社会階級に関わる変化であると、彼らは結論づけている。

独自のウェブ調査による検討の試み

現時点で加速社会論の妥当性は、調査研究によっては確かめられていない。反証となる知見の中には、生活のデジタル化によって社交的活動が促進される可能性を示唆するものもある。デジタル化と生活時間の関連に焦点化した研究は、日本ではまだあまり蓄積されていない。そこで以下では、生活時間意識や余暇活動のあり方と、人びとの生活におけるデジタル化がどのように関連しているのかを、われわれが実施した調査の結果から検討してみたい（調査の概要については、巻末補足を参照）。

生活のデジタル化の指標

ここで鍵となるのが、生活のデジタル化の指標である。そのためには、日本社会においてデジタル化が進んだグループと、そうでないグループとに分ける必要がある。われわれが実施した調査では、次に挙げるオンラインサービスを、ふだんの生活でどれくらい利用しているかを尋ねた。

Twitter、Facebook、LINE、Instagram、クラウドサービス、モバイル決済サービス、動画配信サービス、新聞・雑誌などのオンライン購読（全8項目）

これら8項目について、「毎日」には5点、「2、3日に1回程度」には4点、「週1回程度」には3点、「月に1回程度」には2点、「使わない」には1点を付けてもらうことにした（合計したとき、最低で8点、最高で40点となる）。これを生活のデジタル化の指標として用い、得点が高いほどデジタル化が進んでいると解釈することにした。

さらに得点の分布を4等分し、上位25％の値以上の人びとを、生活のデジタル化が最も進んだ層と見なした。この値は24点で、1項目あたりの平均点数は3点となる。3点は「週1回程度」の利用を意味するので、さまざまな領域で週1回以上はデジタルサービスを利用していることになる。以下では、デジタル化上位層と中・低位層のあいだで、余暇時間、生活時間意識、余暇活動に違いがあるかどうかを見てみよう。[22]

余暇時間の長さとの関連

まずデジタル化上位層と中・低位層のあいだで余暇時間に違いがあるのかを検証する。われわれの調査では、平日・休日別に「お仕事や家事、睡眠など生活に不可欠な活動以外の自由時間」がどれくらいあるのか、選択肢形式で尋ねている。

平日について、4時間以上自由時間があると回答したのは、デジタル化上位層、中・低位層でそれぞれ49パーセント、42パーセントで、7ポイントの差があった。休日については、それぞれ80パーセント、72パーセントで、8ポイントの差がある。この差が大きいのか否かはにわかに判断できないものの、生活のデジタル化が進んだ人のほうが、平日も休日も自由時間がより長いことがわかった。加速社会論が正しければ、デジタル化の程度にかかわらず余暇時間は等しくなるか、デジタル化しているほうが短くなるはずなので、どちらかといえば仮説に反した結果である。

余暇活動の内容との関連

それでは、余暇時間が相対的に長いデジタル化上位層と、相対的に短い中・低位層のあいだで、余暇活動の内容に違いはあるだろうか。調査では、2018年10月から2020年10月にかけて、図表5－3（174頁）に示した活動を行ったことがあるかどうか、複数回答形式で尋ねている。[23]「いずれもあてはまらない」とならないように配慮しつつ、作品などの制作と社会参加に関する余暇を想定して項目を作成した。

いずれかの選択肢があてはまるように項目を設計したつもりであったが、最多は「いずれもあてはまらない」（40％）であった。回答者のうち6割は何らかの余暇活動をしたことがあるのだが、残り4割は全く経験していない。この結果について考えられる理由は、制作型、参加型の余暇活動を全くしたことのない人がかなりの数に上るか、項目の設計の仕方に重大な漏れがあったかのどちらかである。日本社会における余暇の私事性の強さを踏まえると、前者の可能性が十分に考えられるのではないだろうか。

制作型余暇の中で最多だったのは日曜大工（DIY）であるが、日記をつける人が1割強いたというのも興味深い。参加型余暇の中では、町内会・自治会活動が最多であった。この活動は、近隣地域社会において他の住民とともに暮らしてゆくうえで必要なものと言える。その意味で社会的義務をある程度帯びてはいるものの、1次、2次活動と比べると余暇的である。オンラインを通じての活動では、匿名によるSNSでの意見発信が11パーセントで、実名による意見発信の2倍以上の割合であった。

こうした余暇活動への経験の割合が、デジタル化の程度によって異なるのかどうか検証したのが、図表5-4（175頁）である。この棒グラフは、上位層と中・低位層のあいだでの経験割

22——以降のデータ分析では特に断りがない限り、デジタル化上位層と中・低位層の差に言及する場合は性別、年齢、学歴、就業状態、婚姻状態の影響を統計的に調整した結果に基づいている。データ処理に際しては、サンプルの構成が「平成29年就業構造基本調査」（総務省統計局）の性別、年齢、学歴構成と一致するように加重補正を施した。ベンチマークとなる統計と調査データの時期がずれているものの、極端な分布の差異はないと仮定した。

23——2年間としたのは、日本では2020年3月以降、新型コロナウイルス感染症（COVID-19）による行動の制約が生じ、余暇活動の回答状況への影響が想定できたためである。

図表5-3　余暇活動への経験割合の分布

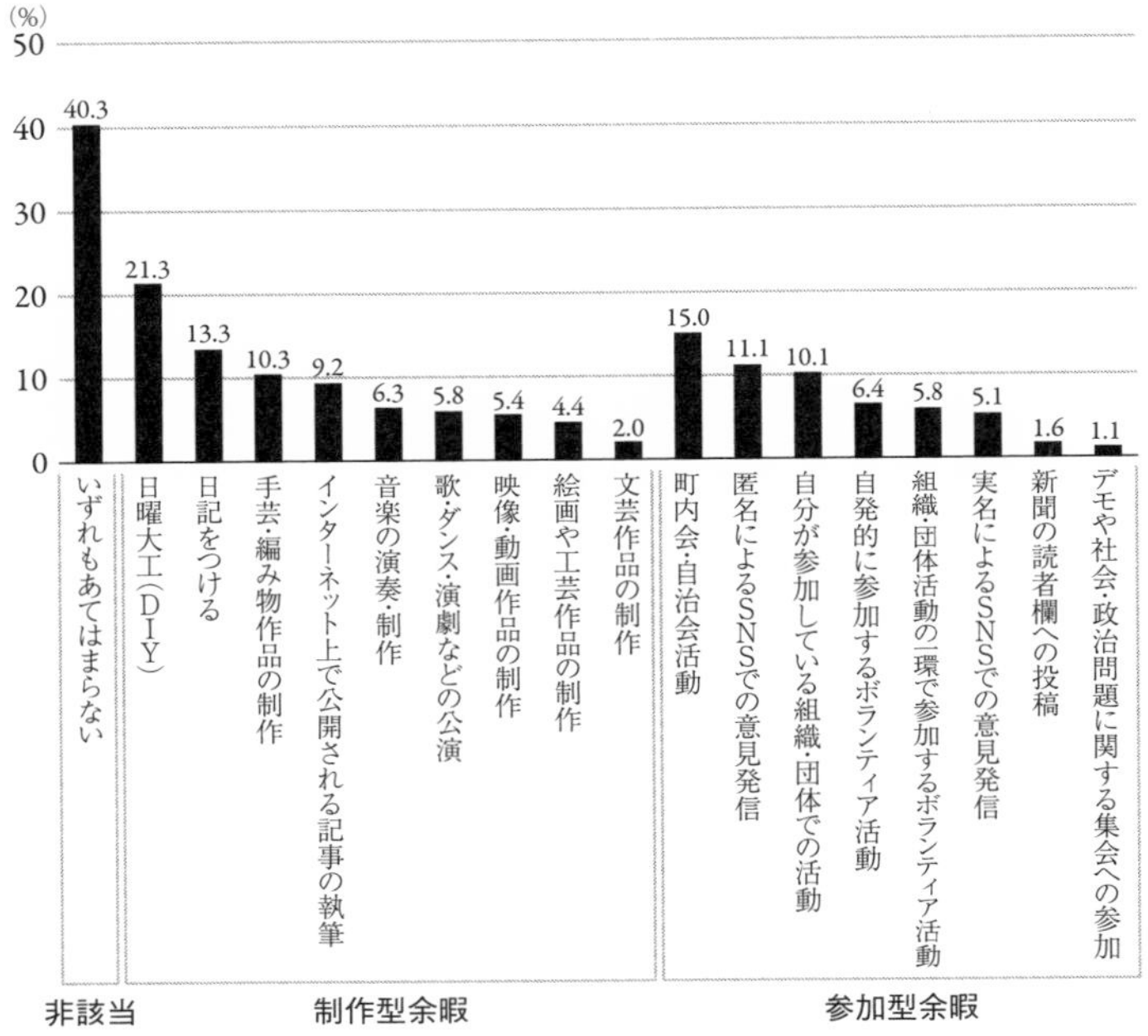
(%)
50
40
30
20
10
0
40.3
21.3
13.3
10.3
9.2
6.3
5.8
5.4
4.4
2.0
15.0
11.1
10.1
6.4
5.8
5.1
1.6
1.1
いずれもあてはまらない
日曜大工(DIY)
日記をつける
手芸・編み物作品の制作
インターネット上で公開される記事の執筆
音楽の演奏・制作
歌・ダンス・演劇などの公演
映像・動画作品の制作
絵画や工芸作品の制作
文芸作品の制作
町内会・自治会活動
匿名によるSNSでの意見発信
自分が参加している組織・団体での活動
自発的に参加するボランティア活動
組織・団体活動の一環で参加するボランティア活動
実名によるSNSでの意見発信
新聞の読者欄への投稿
デモや社会・政治問題に関する集会への参加
非該当
制作型余暇
参加型余暇

図表5-4　デジタル化上位層と中・低位層のあいだでの余暇活動への経験割合の差

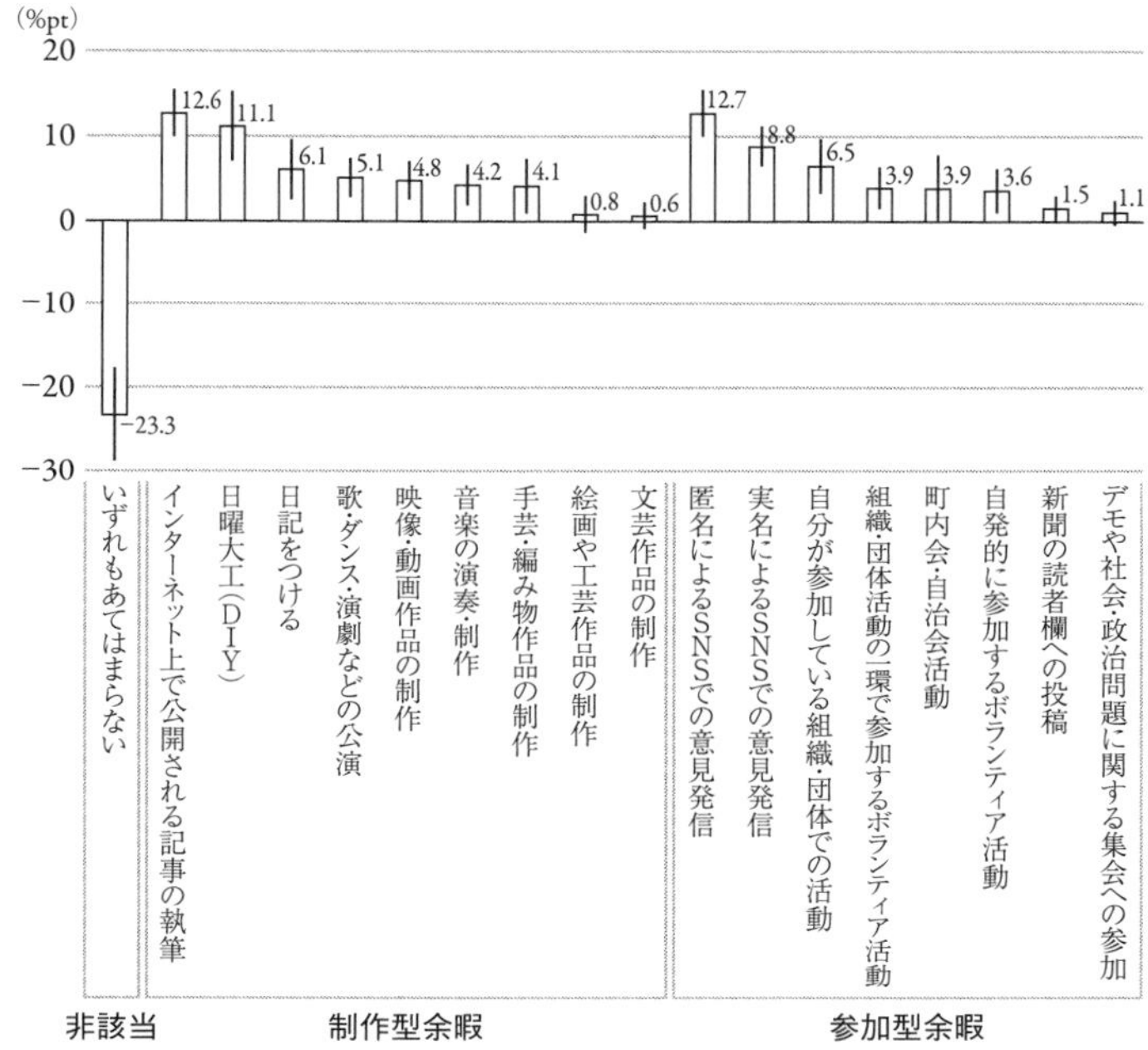

合の差を表しており、プラスだとデジタル化上位層のほうが経験しやすく、マイナスだと経験しにくいことを意味する。棒グラフに引かれた線（エラーバー）は、推定された差の値に関する95%信頼区間である。エラーバーがゼロにかかっている場合、デジタル化上位層と中・低位層のあいだで経験割合に差はないと、ひとまずは判断する。

「いずれもあてはまらない」の割合は、上位層のほうが23ポイント低い。これは生活のデジタル化が進んだ人は、制作型あるいは参加型の余暇を経験しやすいことを意味している。

では、デジタル化が進んだ人のほうが経験しやすい余暇活動とはどのようなものなのだろうか。制作型余暇について見てみると、絵画、工芸作品、文芸作品の制作を除いた、幅広い制作活動について、経験割合の差がプラスの値となっている。インターネット上に公開される、ブログに代表されるような記事の執筆に関する経験割合の差がプラスであることは不思議ではない。一方、デジタル化との直接的な関連性が見えにくいDIYのような制作活動についても経験割合の差がプラスであることは興味深い。

参加型余暇について見てみると、SNSでの意見発信、ボランティア活動の経験割合の差がプラスであり、デジタル化上位層で、より経験しやすいことがわかる。注目すべきは、実名によるSNSでの意見発信に関する結果である。図表5－3を見ると、この活動の経験割合は全体で5パーセントしかなかった。しかし、上位層と中・低位層のあいだの差は約9ポイントである。つまり、デジタル化が進んだ人びとは、自分が何者であるかを開示した上で意見を発信する経験をより多く持っているのである。

余暇活動の内容に関する分析結果は、以上のことからわかるように、加速社会論が想定したものとは大きく異なる。デジタル化上位層において、より経験しやすい活動の多く(記事執筆、DIY、自分の参加している組織などでの社会的活動など)は、いずれもじっくりと時間をかけることにこそ意味があるものである。あるいは、他者との関わりの中で初めて意味を持つものである。

生活時間意識との関連

データに照らして加速社会論が正しいのかどうかを検証するうえで、もう一つの論点となるのが、人びとの生活時間意識のあり方である。われわれが実施した調査では、次の6項目を尋ねている。①、③、⑥が強くあてはまる場合は生活時間が圧迫されており、②、④、⑤が強くあてはまる場合は時間にゆとりのある状態だと言えるだろう。

①「時間に追われていると感じることが多い」(生活時間プレッシャー)
②「自分の生活のペースを、自分で決めたり変えたりすることができる」(生活時間の自律性)
③「複数の作業を並行しておこなったり、短時間で切り替えながら進めたりすることが多い」(マルチタスク)
④「何かに取り組むときは、1つの作業だけに集中することが多い」(1つの作業への集中)

図表5-5　生活時間意識の年齢層別分布

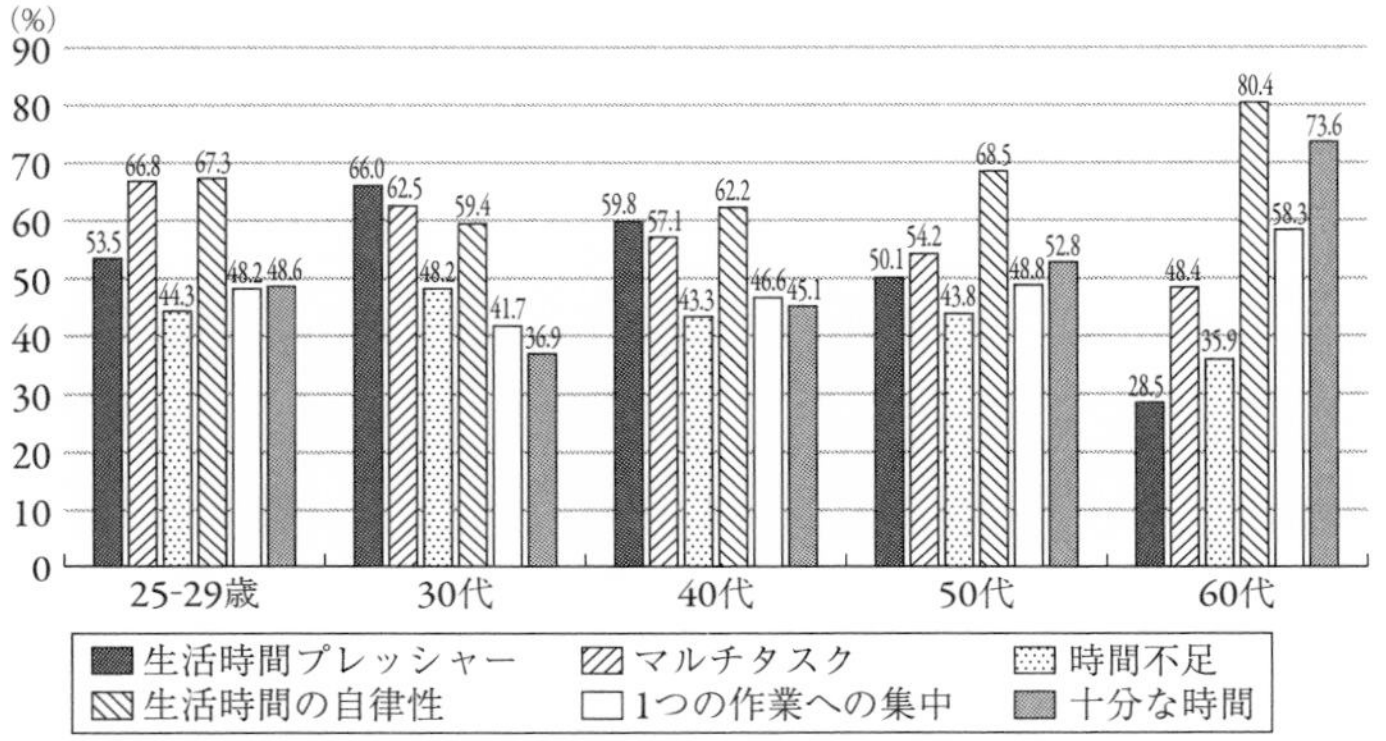

⑤「自分自身のために十分な時間がとれている」（十分な時間）

⑥「何をするにも十分に時間をとることができていない」（時間不足）

図表5－5は、これらについて年齢層別に「あてはまる」または「どちらかといえばあてはまる」の回答割合を示したものである。一つひとつの項目に関する検討は省略するが、ライフステージによって生活時間のゆとりに違いのあることがわかる。最もゆとりのないのが30代で、40代以降になると、生活時間のゆとりが増えてゆく。職業生活、家庭生活での役割が一段落つき、生活のペースが落ち着いてきたからだと解釈できる。

デジタル化と生活時間の意識はどのように関連しているのだろうか。図表5－6はその検討結果を示したもので、図表5－5と同様に、値がプラスであればあてはまる割合がより大きく、マイナスであればあてはまらない

図表5-6　デジタル化上位層と中・低位層のあいだでの生活時間意識の差

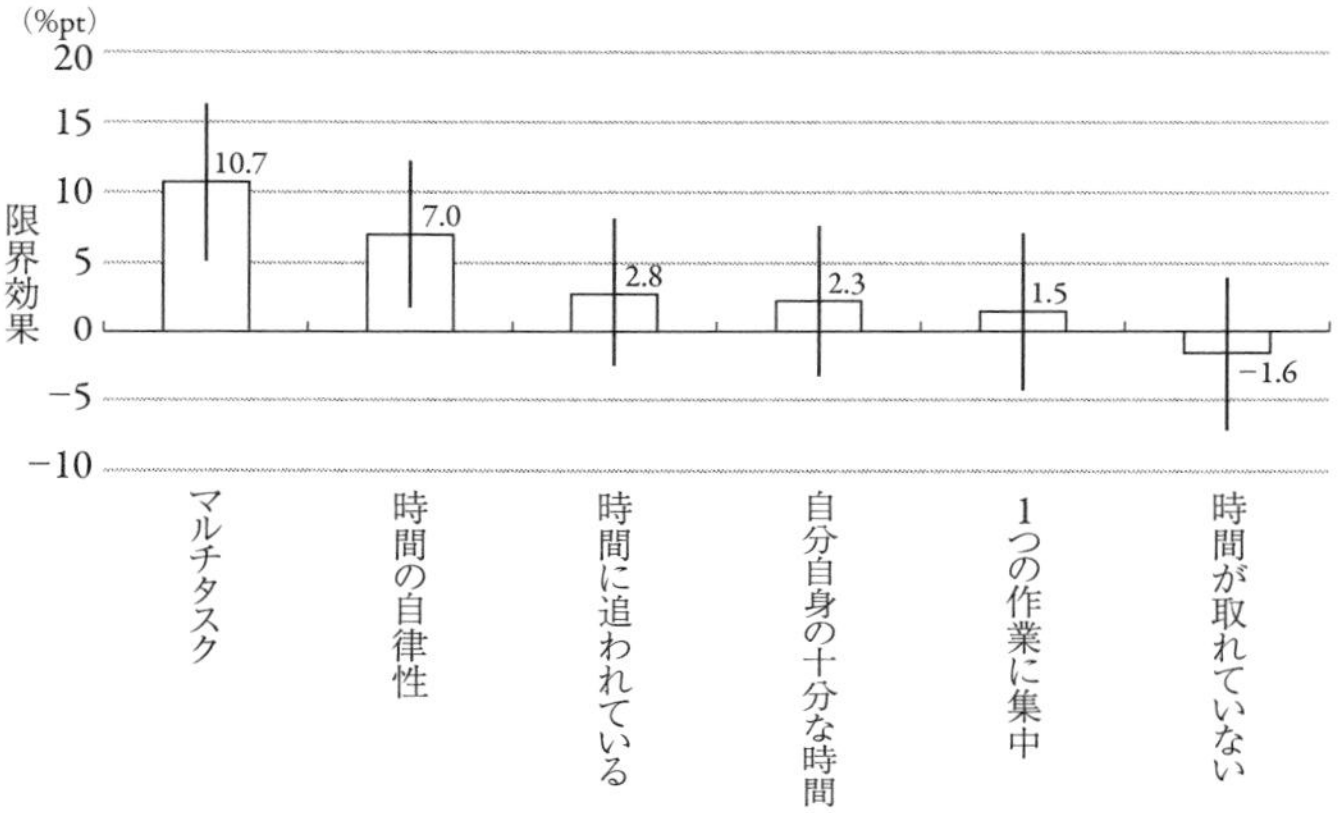

ことを意味する。棒グラフに付いたエラーバーがゼロをまたいでいる場合、正負どちらともいえないと判断する。

生活時間意識に関する六つの項目のうち、デジタル化上位層と中・低位層のあいだで誤差の範囲とは言えない程度の差が検出されたのは、マルチタスクと生活時間の自律性であった。デジタル化が進んだ人のほうが、マルチタスク環境に置かれやすいと考えている一方で、時間の自律性も高いと考えているのである。

デジタル化は、忙しさとゆとりを同時に生み出しており、余暇に対して両義的な影響を及ぼしている可能性がある。その他の生活時間意識については、デジタル化上位層と中・低位層のあいだで明確な差は見られなかった。しかし、こうした結果も、デジタル化が余暇生活に対して多忙さとゆとりの両方を生み出し、それぞれが意識のレベルで相殺し合ってのことかもしれない。デジタル化の両義性については、他の研究者も言及している（Sullivan and Gershuny 2018: 34）。

5－4　問われる余暇時間のあり方

デジタル化が開拓する余暇活動の機会

ここまで、現在の日本での社会生活のあり方にデジタル化が与える影響を、余暇の私事性に焦点をあてて考えてきた。日本社会における余暇は私事性が強いが、そのことを自明視してしまうと、労働を相対化する視点を持ちにくくなる。労働を生活の中心に据える社会において、労働は人間にとって最も重要な生きる意義となる。しかし、労働ありきと考えて、余暇を労働に従属させる限り、人間は「労働する動物」である以外の何者でもない、ということになりかねない。このような発想では、私たちの社会生活に多様性を期待するのは難しい。

私事的で消費的な余暇を過ごすことは、一人ひとりの生活にとって悪いこととは言えない。しかし、そのような余暇が労働に従属しており、それは制作的・参加的な余暇を持つ余裕がないためだとすれば、どうだろうか。社会の「豊かさ」は一言では表せないが、少なくともこのような労働社会が「豊か」であるとは思われない。

このような悲観的な見方に対して、デジタル化はどのような影響をもたらすのだろうか。本章で試みたデータ分析からは、生活時間に対して両義的な影響を与えていることが見て取れると同時に、余暇活動の多様化の兆しが確認できた。[24] 生活のデジタル化は、余暇の私事性を多少なりとも相対化する可能性がある。

生活のデジタル化が進んだ人びとの余暇は、アナログな時代におけるそれと比べて、より制作的で参加的なものとなり得る。その背景には、デジタル化によって、ＤＩＹや作品制作のために有用な情報を集めたり、制作したものをウェブ上で共有したりすることが容易になったことがある。

また、実名で意見を発信するような参加型の活動は、そもそも経験する人が少なかったが、デジタル化がそれを促進する可能性も確認できた。ＳＮＳでは、非生産的に見えるコミュニケーション（ネット上の「炎上」など）も少なくない。このような現象を目にすると、デジタル化に悲観的なイメージを持ちがちである。しかし長い目で見れば、こうした現象も、デジタル化社会における社会参加、言論参加のモデルを洗練させるための試行錯誤の一環として考えられるだろう。

これらは、余暇活動の時間的・空間的な制約が、デジタル化によって多少なりとも緩められた

24――本章の分析結果が学術的批判に耐え得るものかは、今後の批判的検証を経て結論づけなければならない。例えば、デジタル化と余暇のあいだに擬似的な関連を生み出す他の共通要因（交絡要因）の存在や、逆の因果関係の可能性について、本章では十分に考慮したとは言い難い。これらについては、余暇に特化して十分に設計された調査データを得ることで、より精確な結果に近づいていくと思われる。

ことで可能になった。本書が注目するアレントの言葉を借りるならば、デジタル化された公的領域が現代社会に生じることで、私事的なものにとどまらない、より多様な余暇社会が到来することを期待できるのかもしれない。

デジタル化と余暇が結びつくことにより生じるリスク

一方で、私たちが考えなければならない問題も浮かび上がってくる。私たちの日常生活が、時間と空間によって区切られることでメリハリのあるものとなっていたとすれば、時空間の制約を緩和するデジタル化は、日常生活における異なる領域との境界を曖昧なものとしかねない。ここでもアレントの言葉を借りれば、それは公的領域と私的領域の境界がわかりにくくなることを意味する。生活時間の自律性とマルチタスクの両方を増大させるデジタル化の両義性は、その傍証と言えるだろう。

公的領域と私的領域が、デジタル化によってシームレスに重なることで、二つの問題が生じうる。他者との相互行為やコミュニケーションが生じる場を公的領域と見なせば、そこでの活動を私的領域（主に家庭や自分だけの時間）に無自覚に持ち込んでしまう可能性がある。これが第一の問題である。本章でわれわれが行った分析では明確な証拠は得られなかったが、加速社会に至る可能性は現代社会にすでに存在している。

第二の問題は、デジタル化された公的領域において、私的領域に身を置いている感覚で振る舞ってしまうことである。匿名であることを理由に、人前ではふさわしいとされない言動をＳＮＳ上などでいとも簡単にとってしまうことがその一例である。余暇の私事性の延長線上で公的領域での活動を無意識のうちに行ってしまい、自由闊達な議論と放言とを取り違えてしまうリスクを私たちはすでに有している。そして、部分的にはすでに現実のものとなっている。このように考えると、デジタル化によって参加型の余暇活動が促進されるという側面も手放しでは喜べない。

わたしたちがデジタル化と向き合うためには、こうした事態を踏まえなければならない。デジタル化による時間的・空間的な制約の緩和という恩恵を享受しつつ、公的・私的領域における活動を峻別するための条件と実践が必要となっていると言えよう。

そこで課題となるのは、デジタルツールやサービスに関するリテラシーやスキル、利用動機の格差である（DiMaggio et al. 2004; Serrano-Cinca et al. 2018）。デジタルツールの普及に伴うアクセシビリティの格差、デジタル機器のユーザーインターフェースの改善による操作スキルの格差はある程度まで解消されている。しかし、オンライン上でいかに振る舞うべきかに関する判断力の格差や、自らの行為によって他者が被る影響についての想像力の格差は、技術だけでは解決できない。これらの格差は、人間社会における価値基準や規範と切り離せないものだからである。デジタル社会で私たちが維持すべき人間同士の関係のあり方、あるいは公的領域と私的領域の関係を考えるうえでは、価値や規範といった倫理の問題へと踏みこまなければならない。

第六章

デジタル化時代の倫理

6-1　世界に接触する存在としての人間

デジタル化の中での「活動」

ここまで、デジタル化に伴って社会がどう変化していくのかを検討してきた。そこで浮かび上がってきたのは、ある意味で「人間の生き方」の問題だと言える。新しい時代の流れの中で、人間という存在の本質を捉え直すことが重要になってきているのである。本章では、「デジタル化は、人間の生き方にどのような影響を与えるのか」という問いを考察していこう。

この問いを考えるために、本章ではアレントの思想を導きの糸としていきたい。社会科学の文献で、彼女の思想が言及されることはそう多くない。そのことからすれば、われわれの試みは突拍子のないものと思われるかもしれない。われわれは、アレントの著作が社会科学的だと主張したいわけではない。アレントの議論には「社会科学」的な部分が多くあるものの、通常の意味での社会科学とは言い難い。だが、現在生じている社会変化を考えるうえで重要なヒントを与えてくれるのである。

このことは、社会を分析していくときには、倫理的な問いと向き合わなければならない局面が多くあることと関わっている（第一章）。本章では、アレントの思想を取り上げつつ、これまでの章での議論を踏まえ、デジタル化について、社会科学的な議論と倫理的・規範的概念を組み合わせながら考察していこうと思う。

アレントの思想は多岐にわたるが、本章にとって重要なのは、『人間の条件』で論じられた「アクティヴィティ」という概念である（Arendt 1958）。アレントの原文で用いられているactivitiesは、日本語では活動と訳されることが多い。だが、アレントにとって「活動」とは、特別な意味を持ち、人間同士が対話などを通じて協力し合ったり、対立したりするようなものに限定される。そこで、アレントの言う「活動」はactivitiesの一部をなすにすぎない。「活動」には含まれないアクティヴィティもあるため、ここでは「活動」と「アクティヴィティ」は区別して用いることにする。

アレントはアクティヴィティという概念を使って、人びとが生きるうちになすところの、さまざまな営為の意味について分析している。彼女によれば、「労働」することは、いくつかの主要なアクティヴィティの一つである（第四章）。人びとは労働し賃金を得ることで、自分の生活を成り立たせる。人間にとって、労働することは大事な一部であるが、生きることの全てではない。労働とは何であり、それ以外のものとは何だろうか。アレントはアクティヴィティという概念を用いて、このようなことを理解しようとするのである。

一方、人びとの「生」にデジタル化がどのような影響をもたらすのかを考えるには、それに先立ち、人びとの生活をいかに理解するのかという問いと向き合う必要がある。こうした考察を通して、社会はデジタル化によって良くなっているのかを考える。そのうえで何が言えるだろうか。

デジタル化は、お互いの協力関係を活性化させるかもしれない。だが、デジタル化社会の中枢にあるインターネット空間におけるコミュニケーションは、匿名的なものとなる傾向がある。このことは、人びとのコミュニケーションを複雑で不確実なものとするかもしれない。こうしたなかで、人びとが豊かな生活を享受するためには、ある種の工夫が必要となるだろう。

ここでわれわれの主張をまとめておくと、次のようなものとなる。

人間同士の交流は、デジタル化時代においても重要である。むしろ、デジタル化時代だからこそ、より重要性が増す側面がある。というのも、単純で定型化した作業は機械によって代替することが可能であるため、定型化していない対話に基づく交流の相対的重要性が高まるからである。さらに、SNSを通じたデジタル空間上のやりとりなどが可能になることも理由として挙げられよう。他方で、交流する人数や処理しなければならない情報量が増えすぎてしまうかもしれない。デジタル空間でのやりとりは匿名になりがちであるが、これにより個人への攻撃が起こる恐れもある。デジタル化時代では他者との関わりが重要になる一方で、関係の対等性が失われてしまう可能性がある。人びとが自由で対等な対話をすることができるように、デジタル化社会が内包する不安定性を和らげるための工夫が必要だろう。

アレントの「人間の条件」

アレントは20世紀において最も影響力のあった思想家の一人である。[1] 彼女の思想の特徴は、アカデミズムにおける哲学的議論にとどまらず、あくまで一人の人間として哲学に向き合った点にある。彼女自身の人間としての生が、その思想のうちに現れている。

アレントは、人間存在の条件に関する重要なアイディアを提案している。アレントによれば、「人間の条件というのは、単に人間に生命が与えられる場合の条件を意味するだけでない」(Arendt 1958: 9〔訳書21頁〕)。なぜなら、「人間が接触するすべてのものがただちに人間存在の条件に変わる」(Arendt 1958: 9〔訳書22頁〕)からである。人間の生きる社会は、人間によって成り立っている。社会制度やシステムは、人間によって作られたものなのである。それと同時に人間は、自分が作り出した制度やシステムに条件づけられてしまう。このことを明確に述べた、次の命題は強い印象を与えるだろう。

なにをしようと、人間はいつも条件づけられた存在である(Arendt 1958: 9〔訳書22頁、一部改変〕)

先ほどのアレントの言葉にあったように、人間の条件とは、一人ひとりの人間が「接触する」

1――川崎(2014)、矢野(2014)、Kristeva(1999)、日本アーレント研究会編(2020)など、アレントに関する解説書は多い。『人間の条件』は最も重要な著作だが、それは彼女の豊かな作品群の一つに過ぎない。

ことにある。アレントの思想の根幹にあるのは、人間が何かに「接触する」ことによって生きているという感覚だろう。この接触とは、「机に触る」というような直接的なものだけでなく、自分ではない何かを知覚し、対峙すること全般を指している。人は何らかのかたちで、自分の外部に接し対峙せざるを得ない。食べること、働くこと、ものを作ること、話すこと、こうしたことの全てが外部との接触なのである。この外部は人間が関わるところの全てのものとして捉えられ、人が作ったものではない自然、人がつくったもの、そして他者といったあらゆるものを含む。どのように何と接触するのか、が問題なのである。これを言い換えると、人間はどのように条件づけられているのか、という問いとなる。

アレントの思想において注目すべき点は、古代ギリシアの思想から「活動」という概念を抽出し、その本質的な意義を論じたことである。アレントは人間の「為すこと」の意味合いに強い関心を寄せる。広い意味での人間の生活の仕方、あるいはそのための営為、その総体がアクティヴィティである。『人間の条件』の中で、アクティヴィティを三つの基本的種類に区分している（Arendt 1958, Chpter 1）。それがどのようなものであるのか、誤解をおそれず単純化し、述べておこう。

「労働（labor）」：生命の維持のためのアクティヴィティ
「仕事（work）」：永続的なものや耐久性のあるものを生み出すためのアクティヴィティ

「活動（action）」：人と人とのあいだで行われるアクティヴィティ

アレントによれば、これらのアクティヴィティが、人間の条件を織りなす。「労働」は、人間が生命体であるがゆえに行うものである。食べ物を手に入れようとする行為は、このような意味での「労働」である。いかに有意義な生活を送ろうとしても、そもそも生きていることが大前提なので、「労働」は生活に欠かせない。生命体として維持されて初めて、それ以外のアクティヴィティが可能となり、人間の生活をより有意義なものとすることができる。

経済学では、社会生活における人びとの時間の使い方を、労働と余暇の二つに分ける。これは、効用と不効用しか意味をなさないという、功利主義的思考に従っているところが大きい。アレントは、こうした経済学的な思考に基づくことなく、人間の社会生活をより深く考えようとしている。アレントからすれば、「労働か余暇か」という単純な捉え方こそが、近代の生み出した錯誤なのである。

実際、アレントの「労働」は、経済学的な労働の概念とは異なる。このことは、アレントにおける「労働」と「仕事」の区別を確認するとわかりやすい。アレントにとっての「労働」は、人間が生命を維持するための食糧をはじめとする消費財を自然から生み出す目的でなされる。一方で、「仕事」においては、美術作品や耐久財など、すぐに消費されたりせず、長くこの世界にとどまるような財が生み出される。労働にせよ仕事にせよ、人が自然に対して何らかの行為を行うことで財が生み出される点に特徴がある。

経済学的には、耐久性のない消費財であろうと、耐久財であろうと、生産に費やされる時間の全てが労働となる。それに対して、どのようなものを作るかということが、アレントにとっては重要となる。こうしたことから、「労働」と「仕事」を区別しているのである。

アレントの考える「活動」は、さらに興味深い。「活動」とは、複数の人びとが自然を媒介させずに行うものである（Arendt 1958: 7［訳書20頁］）。その主な特徴として、アレントは「自由」と「複数性」を挙げている。人間は、一人ひとりが固有な存在である。そこでは人びとは、それぞれ異質な存在である。「活動」においては、異質な存在である人間と人間とが向き合うことになる。それゆえ、ここでは複数性が重要な意味を持つのである（Arendt 1958, Chapter 5）。異質な存在が、必要に迫られたような営為から離れて、公的領域で向き合うことで、人の「自由」が達成される（Arendt 1958: 230–5［訳書３６２―３７０］）。

異質な人間と人間が対等に語り合い、思考停止に陥ることなく、熟慮を重ねていくことが、「活動」の本質である。この「活動」は、アレントにとって人間の条件の根幹をなすものである。しかし、人間が十分に「活動する」ことは決して簡単なことではない。

デジタル化時代におけるアクティヴィティについて、これから検討を進めていくうえで注意しなければならない点を挙げておきたい。

それは、「労働」「仕事」「活動」のそれぞれにアレントが付与した意味と、日常生活でこれらの言葉を用いる際の意味にはずれがあるということである。ある人が勤務先で働いているからといって、必ずしもそれはアレントの言う意味での「労働」であるとは限らない。例えば、映画制作会社で働いている場合、そこで行ったことは、後世まで残る映画作品の誕生につながることもある。この場合、耐久性のあるものを生み出す「仕事」と見なされるだろう。このようにアレントは、「労働」や「仕事」というものに、日常的に使われる際のそれとは異なる意味を与えたのである。三つの用語は、人間という存在を分析しやすくするために定義されている（日常で用いる場合のそれと区別しやすいように、アレントの意味で用いる場合はカッコで括ることとする）。

6−2　労働と仕事が作り出す人工世界

近代における労働賛美とマルクス

これまでの章で議論してきた、デジタル化の二つの影響を整理することからはじめたい。

まずデジタル化は、経済活動に参加した際の取引費用を軽減する（第二章）。プラットフォーム上での取引は、欲しい商品を探したり購入したりするための時間を節約することを可能にする。その分、人びとは時間的な余裕を得ることができる。こうして自由な時間が得られれば、その分だけ、他のことができるようになる。つまり、デジタル化によって、個々人の選択の機会が広がるのである。

そして、これまで人間が行ってきた単純労働は、ＡＩや機械によって行われるようになる。歴史的に見れば、人類にとって貧困や食物の欠乏は、人間の生活を制約する最も大きな課題であり続けてきた。現在でもこうした問題は完全には解消できておらず、多くの人びとが、貧困による生命の危機にさらされている。こうしたなかで、ＡＩや機械による単純労働の代替が進めば、生産性は大きく向上し、生命を維持するために必要な財をより多く得ることが可能となるだろう。さらには、人間が労働しなければならない時間も、全体としては減るかもしれない。

取引費用の軽減、そして機械による労働の代替は、アレントが言う意味での「労働」と関わりがある。他にもいくつかの例を挙げておこう。

(a)同じことを繰り返すような単純な労働
(b)スーパーマーケットなどでの生活必需品の購入
(c)（食事の支度や洗濯などの）家事

これらは、アレントの言う「労働」の例にあてはまると思われるものである。「労働」は、人間が自らの生命を維持するために行うアクティヴィティ全般を指すので、多様な営為が「労働」に含まれるのである。このことから、二つのデジタル化の影響、すなわち、取引費用の軽減と機械による労働の代替は、アレントの言う意味での「労働」の減少につながることが予想される。

しかしながら、先に述べたように、企業などでの労働の全てが、アレント的な意味での「労働」になるとは限らない。例えば、企業の一員として作曲したり、映画作品の制作に関わったりする場合は、「労働」からはみ出すところが出てくるところがあり、それは「仕事」の一部として理解し得るのである。

さらに企業や組織では、働く者同士で話し合い、考え方を共有し、何をしていけばいいかを議論することも少なくない。アレントの定義にしたがえば、それは「活動」として捉えることができるだろう。

一方で、賃金が生じない時間の使い方であっても、「労働」となり得る。生命を維持するために必要な財を得るための作業全般が「労働」なのであれば、それを探したり、食材を調理したりする作業も、労働と見なされるのである。

こうしたことからデジタル化は、アレント的な意味での「労働」に影響を与えていることがわかるだろう。それを整理すれば、次のようになる。

(a)単純労働は、機械やＡＩなどに代替されつつある。
(b)財を購入するに際して、その探索や契約に要する時間は、ネット上に構築されたプラットフォームを利用することで短縮されている。
(c)家事の一部は、機械化された市場によって、あるいはデジタル技術を用いた製品によって効率化されている。

つまり、デジタル化の結果として、作業の効率化や機械による代替が起こり、「労働」に割かなければならない時間が短縮され、ある種の余裕が生まれるのである。

このような「労働」の減少は、現代社会における機会の増大の本質だと言えよう。人間は誰しも有限の時間しか持ち得ない。それをどのように使うかが、その人の生き方を表していると言ってよいだろう。「労働」に費やす時間が減れば、他のことに時間を用いることが可能になる。それは、「仕事」や「活動」などの時間が増える可能性が高まることを意味する。実際、以前よりも日本人は多くの時間を余暇に費やすようになっている（第五章）。

デジタル化によるこうした変化は、人間生活を豊かにするのだろうか。本書ですでに繰り返し考えてきた問いではあるが、改めてこのことを二つの点から整理しておこう。

第1に、デジタル化は広い意味で人びとの機会を広げるが、その際、人びとのあいだに平等に行き渡るかどうかという問題がある。第四章で見たように、新しい技術の発展や、それに伴って生じる社会の変化は、深刻な不平等を引き起こすかもしれない。

特に企業内で行われる労働には、ＡＩや機械に代替されやすいものと、そうでないものとがある。多くの企業において、アレントの言う意味での「労働」だけでなく、「仕事」や「活動」の性格が強いものがある。その中で、高い創造性や他者との対話的作業が必要とされる「仕事」や

「活動」に従事する人は高い賃金を得る傾向にあり、その傾向は以前より強まっている（第四章におけるタスクの変化についての議論を参照）。その結果、「労働」に従事する人びとと、こうした「仕事」や「活動」に従事する人びととのあいだに大きな不平等が生じることになる。

ところで、所得や資産の不平等は可視化しやすいが、他方で、「社会的」な不平等のように、見えにくいものもある。社会的不平等とは、社会生活や尊厳をめぐって生じる不平等のことである。例えば、マンションや居住地域での自治会でどのような活動をするのかは、話し合いに基づいて決めることがある。自治会に参加する人たちの収入や性別に違いがあっても、対等に話し合いが行われなければならない。そこにおいて、話し合いとは関係のない理由によって、一方が他方より有利な立場が生じている場合、そこでの人間関係には不平等が存在することになる。そして、極端に不利な立場に置かれた人の尊厳は傷つけられる。このような、人間関係にかかわる不平等を「社会的不平等」と呼ぶ。デジタル化社会では、こうした意味での平等性が重要になるだろう。[2]

第2に、デジタル化時代における「仕事」や「活動」はどう変容していくのか、という問題がある。これは、デジタル化によって時間的な余裕が生まれたとき、人びとはその時間を「仕事」

2——人間関係を基礎にした平等論は近年、政治哲学の文脈では正義論の一分野として幅広く研究がされている。Lippert-Rasmussen（2018）はその包括的な議論を与えている。平等論の一つの重要な源流は、19世紀アメリカの観察から平等について考察したトクヴィルであろう。例えば、宇野（2007）を参照。

や「活動」へと振り向けることになるのかどうか、という問いとして言い直すことができる。このことを考えるために、「仕事」と「活動」について、さらなる考察を加えていくことにしたい。

仕事が生み出すデジタル化社会

アレントの議論にしたがえば、「仕事」は特に時代からの影響を受けたアクティヴィティだと言えよう（Arendt 1958: 294-313〔訳書464—488〕）。「仕事」とは、耐久性の高いものを作り出す作業であるが、人は「仕事」によって「自然」を消費するだけでなく、外部の世界に対して何らかの影響を与えることとなる。

現存する日本最古の建築物は、7世紀に建立された法隆寺である。この寺院の材料は、森林から木を伐採し、山から岩を削り取ってくることで集められた。つまり、人間が「自然」に働きかけることで用意された材料を消費し尽くしたりせず、これを耐久性のある建築物へと仕上げたのである。こうして法隆寺は現在も存在している。このような仕事によって作られたものは、人工物ではあるものの、一人の個人にとっては、自身の外に存在する世界の一部をなしている。このような世界を作り出すような人は、労働者というよりは「工作人」と呼ぶべき存在である。

それゆえ、アレントは次のように述べるのである。「仕事は、すべての自然環境と際立って異なる物の『人工的』世界を作り出す」（Arendt 1958: 7〔訳書19—20頁〕）。「労働」によって生み出される食糧のような財は、すぐに消費されるのに対して、「仕事」においては、耐久性のある物が作り出される。机や衣服を作る人は、「労働者」として消費財を生産するのとは違って、「工作人」としてこれらの物を作る。工作人が作ったそれらのものは永続するわけではなくとも耐久性を持ち、一定の時間はそのかたちを維持するのである。

こうしたアレントの区分に違和感を持つ人もいるかもしれない。生命を維持するための食物であれ、何らかの耐久性を持つものであれ、いずれも市場で交換される財であって、その意味では何ら違いはないように思われるからである。

この違和感の原因を、アレントの枠組みに則って探ってみると、時代の変遷とともに「仕事」の意味合いも変化してきたことに求めることができよう。例えば、机や靴、衣服などを作ることは、過去においては典型的な「仕事」の一つであった。「工作人」によって作られたこれらの物は、長期間にわたって使われ続け、「世界」の中にとどまり続けていたのである。日本の着物はその典型例の一つであろう。実際、何代にもわたって着続けられる着物も珍しくはない。

しかし、19世紀の産業革命や20世紀の消費社会にあって、「仕事」の意味合いも変わってきた。生産技術が向上することで、家具や衣服を低価格で大量に作ることが可能になった。ワンシーズンしか着用されないことも多い現代のファストファッションは、その極端な例と言えるだろう。つまり、家具や衣服といったものは、もともとは「仕事」の産物であったのが、技術が向上し、大量に同じ規格のものを安く生産できるようになることで、長く使われることがなくなり、「労働」の産物である消費財へと変化したのである。このとき、家具や衣服を作る人びとのアクティヴィティは、もはや「仕事」ではなく「労働」と呼ぶべきものとなっている。

近代社会は、人びとに物質的な豊かさをもたらしたが、他方でそれは、「労働」を社会の中心へと押し上げる結果を招いたというのが、アレントの見立てである（Arendt 1958: 126–35〔訳書188―198頁〕）。こうした状況を生み出すうえで、思想的に大きな影響を与えたのが、ロック、スミス、そしてマルクスであった。彼ら――特にマルクス――の思想の根幹をなす労働中心主義的な見方を、知らず知らずのうちに人びとが受け入れることで、「仕事」は近代以降、急速に消えていったのである（Arendt 1958, Chapter 3）。

近代以降、最も典型的な「仕事」の一つとして、アレントは芸術活動を挙げている。[3] 音楽、文学作品、そして絵画といったものは、半永久的に存在し続ける。これらの作品を生み出す作業には、「労働」とは異なる部分があることは理解しやすいだろう。現代社会にあって、「労働」とは明確に区別される数少ない「仕事」が芸術という領域なのである。

しかし、この芸術の領域ですら、デジタル化時代にあっては、「労働」の領域と重なり始める。別の言い方をすれば、長きにわたって耐久性の高かった芸術作品も、消費されるようになる。芸術領域において「労働」と「仕事」の境界が曖昧になってきたことを理解するうえで、YouTubeの映像などは好個の例と言っていいだろう。映像それ自体の歴史は決して古くはないが、映画のような映像作品は、一定の耐久性を期待されて作られるようになって久しい。しかし、YouTubeで配信される動画の場合、極めて人気の高いものでも、短期間で顧みられなくなってしまうものが少なくない。スマホアプリのTikTokの場合、わずか15秒ほどの動画を作成し、共有しているが、こちらもごく短期間で消費されている。これらの現象は、かつては「仕事」の成果であった映像作品が、少なくとも部分的には耐久財でなくなりつつあることを示していよう。

しかしながらそれは、「仕事」の影響力が小さくなっていることを意味しない。むしろデジタル化の時代にあっては、「仕事」が支配的になっていると見ることもできる。「労働」によって生まれた財は、世界の中に一定の位置を占め、残り続けるということがなく、短期間のうちに消費されてしまう。それゆえ、世界に長く存在し続けるのは、「仕事」による人工物でしかあり得ない。この人工物の最も極端なものの一つが、機械やＡＩ、そしてデジタル化を背後で支えるアルゴリズムの開発である。アルゴリズムとは、計算の操作や手順を形式的に表現したもの一般を指す。アルゴリズムが開発されれば、目的とする作業は自動化され得る。

Googleをはじめとする検索エンジンや、インターネット上のあらゆる形式のプラットフォーム

3――アレントは、芸術作品を高度に耐久的なものであると捉え、「仕事」によって生み出されるものの中でも特別な地位にあると考えている（Arendt 1958, Chapter 4）。こうした考えのもとで展開されるアレントの議論は、独自の芸術論とも言える（日本アーレント研究会編、2020: 200–8）。しかし、そもそも、芸術が本当の意味で耐久的であるかには論争の余地があるだろう。本章では、芸術の耐久性が失われ、消費されるようになることを論じるが、そもそも芸術の中には「活動」の領域に属すようなものも存在するように思われる。人間同士のやりとりが含まれるような、参加型の演劇や音楽などが、「活動」的芸術の特徴である。しかし、ここでは、こうした点は無視して、素朴にアレントの議論を受けいれて議論を進めたい。

には高度なアルゴリズムが埋め込まれている。データを結合したり選別したりするのにも、何らかのアルゴリズムを必要とする。それゆえ、デジタル化とは、デジタル情報とアルゴリズムが社会の中で結びついていく運動と見ることもできる。

アルゴリズムそのものは、人間によって開発されたものである。ほとんど永久的に世界にとどまることができるため、ある種の耐久財と見なせる。したがって、それは人間の「仕事」によって生み出されたものと言えよう。このように考えれば、デジタル化にせよ、ＡＩや機械にせよ、アルゴリズムを開発するための「仕事」から生み出されたもの、ということになる。つまり、デジタル化そのものが、工作人としての人間が生み出したものなのである。

デジタル化社会とは、このような意味での人工物に人間が条件づけられた社会と見ることができよう。そのことを念頭に置きながら、アレントの言葉を振り返ってみよう。

> 人間とは、自然のものであれ、人工的なものであれ、すべてのものを自己の存続の条件にするように条件づけられた存在である。そうであるとすれば、人間は、機械を作った途端に、機械の環境に自分自身を「適合させた」のである。
>
> （Arendt 1958: 147［訳書２３７頁］）

機械が登場したとき、それは労働者の生産作業のあり方を変えていった。機械化された生産体制のもとで労働は単純化され、機械が要求するリズムに合わせて労働がなされるようになったためである。つまり、生産のための労働者の動作が、機械の要請に従うようになった。この点において機械は、それ以前の道具とは異なる。機械を使わない労働においては、道具が人間のリズムに合わせる。しかし、「機械による作業が続く限り、機械過程が人間の肉体のリズムに取って代わっている」(Arendt 1958: 147〔訳書237頁〕)。つまり、アルゴリズム的生産活動へとそのあり方が変わるのである。

デジタル化社会の原点には、高度なアルゴリズムを生み出した、工作人によるアクティヴィティがある。しかしながらデジタル化社会では、アルゴリズムの影響力が大きくなることで、人間の実質的な選択の可能性は狭まるかもしれない。

その理由を二つ挙げておこう。

第1に、日常生活において、アルゴリズムや自動化のプロセスから影響を受ける範囲が広がっていく。デジタル化が始まる前の段階でも、自動化の影響はあったが、それは生産活動に従事する場面などに限られ、日常生活においてその影響を受けることはあまりなかった。ところが現代では、購買活動や人との交流においてもアルゴリズムの影響を受けるようになっている。例えば、インターネット上のプラットフォームで商品を探している際に画面上に表示されるお勧めの商品は、購入履歴に基づいてアルゴリズムが決めている。また、Twitter、Facebook、LINEをはじめとするSNSでも、個人情報や履歴などに基づいて、「知り合いらしき人」「広告」「関心のありそうなこと」を勧めてくる。もちろん、これらを無視することもできるが、実際にはこうしたプロセスからの影響を免れるのは難しい。つまり、労働時間とは別の、日常生活においてすら、機械の自動化プロセスに制約されやすくなるのである。

第2に、人工物が生み出したものを人工物と見なすとすれば、学習機能を備えたＡＩは、自ら人工物を生み出すようになっている。それまで人工物は、常に人間の手を介して生み出されてきた。アルゴリズムによる人工的な世界が広がっていったとき、その世界は、人間のアクティヴィティをいっそう強固に規定するようになるかもしれない。

だからといって、人工物を作り出してきた人間の活動全てが不要になるようなことは、そう簡単には起きないはずである。そのような時代が到来するとしても、遠い未来のことになるだろう。

それでも、人間の知能をＡＩの知能が超える転換点、すなわち「シンギュラリティ」（技術的特異点）に対する恐怖が語られることは少なくない。[4]「工作人」としての人間が作り出したＡＩという人工物に人間が凌駕される可能性があるという指摘は、私たちに強い印象を与える。実際、「工作人」としての人間の立場を、ＡＩが脅かす時代が訪れることになるかもしれない。労働者が消費財を作るときだけでなく、「人工物」を作る際にも、ＡＩは人間以上に活躍することになるかもしれないのである。

だが、シンギュラリティの問題よりも重要な問題があるのではないだろうか。それぞれの人間の「生」に対して、あるいは、人間同士の関係に対して、デジタル化はどのような影響を与えるのか、という問題である。

6-3 不純な活動と退避可能性

そこで、デジタル化時代における「活動」について考察を進めていきたい。アレントは「活動」について次のように述べている。

活動と人間の正体

活動actionとは、物あるいは事柄の介入なしに直接人と人との間で行なわれる唯一の活動力であり、多数性という人間の条件、すなわち、地球上に生き世界に住むのが一人の人間 man ではなく、多数の人間 men であるという事実に対応している。（Arendt 1958: 7［訳書20頁］）

アリストテレスは、人間は政治的な動物だと述べた。ここで言う「政治的」とはどのような意味だろうか。アレント的な「活動」概念に照らしてみれば、それは、複数の人びとのあいだで何らかの活動を行うことを意味するだろう。つまり、自分とは異質な存在である他者とやりとりをすることが、アレントにとって「政治」の本質となる（Arendt 1958: 7［訳書20頁］）。耐久性のあ

4――シンギュラリティについての議論を世間に広めたのはカーツワイルの著作（Kurzweil 2005）である。

るなしにかかわらず、財の生産に一切関わらずに行うことのできるアクティヴィティこそが「政治」と解釈できる。

人間には、必要性に駆られて行うアクティヴィティがある。生命を維持するために行わざるを得ない「労働」がそれである。これに対して「活動」は、こうした必然性から解放された次元でなされるアクティヴィティであり、人間の自由の領域で行われるものである。このような「活動」のイメージを、アレントは古代ギリシアのポリス（都市国家）から得ている（Arendt 1958, Chapter 2）。当時の市民たちは、自分たちに関わることを自由に話し、語り合っていたとされる。ポリス的な自由な語り合いが、「活動」における最も純粋なかたちと言えよう。

アレントによれば、かつて「活動」は、人間のアクティヴィティの中で重要なものと考えられていた。しかし時代が下るとともに、こうした見方は薄れていった（Arendt 1958, Chapter 6）。「労働」のほうがより重要なアクティヴィティだと見なされるようになったのである。現代では、労働や家事などの時間を除いた時間に「余暇」という言葉があてられることが多い。「活動」にはこの「余暇」と重なる部分が多いことからも、現代社会が「活動」をどのように位置づけているかがわかるだろう。

デジタル化は人びとの生活のあり方を大きく変えており、娯楽や余暇の時間が増えてきている（第五章）。単純な作業がＡＩや機械に代替されることで、労働時間が大幅に減りつつあることに負う部分が大きいだろう。こうしたなかで、生活時間の一定の部分は、アレント的な意味での

「活動」へと向かうかもしれない。

しかし、現代社会における余暇が、対人的な「活動」にあてられるとは限らない。人間は、余暇の時間を使って休息をとり、食事をして、消費を行うのである。労働が中心となった社会においては、「〈労働する動物〉の余暇時間は、消費以外には使用されず、時間があまればあまるほど、その食欲は貪欲となり、渇望的になる」(Arendt 1958: 133［訳書195頁］)。つまり、労働時間が減ったからといって、「労働」以外のアクティヴィティが増えるとは限らないのである。

例えば、オンラインショッピングをすると、驚くほど時間が経ってしまうことがある。セールの時期などは、空いた時間に、インターネットにアクセスして商品を探してしまう。余暇に、YouTubeでの動画鑑賞や、ゲームに多くの時間を費やす人もいるだろう。これらは、広い意味で消費的な余暇時間の使い方と言える。実際、このような余暇の過ごし方は、かつてよりも大きな割合を占めている(第五章)。

だが、デジタル化社会の中で、新たな交流が可能になってきたことには注意しなければならない。今ではかなり多くの人が、Twitter、Facebook、InstagramなどのＳＮＳを利用している。そこでの交流には、自分とは異なる他者とのあいだで行われるアクティヴィティ、すなわち「活動」的な側面がある。ＳＮＳに限らずインターネット上のやりとりを言論空間の一つとして捉えてみれば、デジタル化社会の新たな可能性が見えてくるだろう。

実際、多くの場合、ＳＮＳ上でのアクティヴィティは、生命を維持するための「労働」でもなければ、何か目的を持って作ろうとする「仕事」でもない。ある意味で、現在のＳＮＳ上には、人間の新たな活動領域が生まれている。多くのプラットフォームは、企業が提供したものであるとしても、それは人と人とのあいだでなされる「活動」を支えるために機能していることが多いのである。

こうした動きは、人びとが政治的動物として振る舞うことを活性化させるかもしれない。最近では、民主化を呼びかける運動や、政治的な意見がＳＮＳを通じて広く共有されるようになっている。一人ひとりの人間が、財産の多寡とは関係なく参加できるというのも興味深い。ＳＮＳから交流を勧められる相手は、アルゴリズムに基づいていることには注意が必要だが、それでもＳＮＳは、人びとが何らかのかたちで意見交換できる場として機能している。

インターネット上での交流は、人間の新たな「活動」の可能性を示しているのだろうか。しかし、そこには匿名性の問題もある。例えばTwitterでは、多くの人が本名ではなく匿名で意見表明し、それが誰であるかが明かされないままとなる場合が多い。インターネットにおけるこの匿名性は、アレントが想定する「活動」にとって、致命的とも言える。なぜなら、「『正体』の付着していない活動は無意味である」からである（Arendt 1958: 180–1〔訳書２９４頁〕）。このことについてアレントは、次のように述べる。

行為において行為者を暴露しなければ、活動は、その特殊な性格を失い、なによりもまず功績の一形態になる。その場合、活動は、実際、製作が対象物を作る手段であるように、目的のための手段にすぎない。

（Arendt 1958: 180〔訳書293頁〕）

アレントの議論に厳密にしたがえば、他者たる人間が固有の存在であることが明らかになって初めて、「活動」は「活動」たり得る。SNSやその他のインターネット上でやりとりをする「場」が、人と人との交流の場所となりながらも、そこでのやりとりがポリス的交流と異なるのは、自分の「正体」を必ずしも明らかにしないからである。正体が明らかな場合には言わないようなことを発信する人がいることからも、匿名であることが、こうした違いを生み出していることがわかるだろう。

人びとはインターネット上で、あるときには匿名で、またあるときには正体を明かしながら活動をしている。つまり、デジタル化以前の世界と比べて「不純な活動」が増えてきているのである。この「不純な活動」は、デジタル化社会におけるアクティヴィティの避けがたい性質であるように思われる。

つまり、「正体」を明らかにしたうえで展開される「活動」が、正体を隠した状態での「不純な活動」によって脇に追いやられるというそのことが、デジタル化社会が抱える潜在的な問題なのである。インターネット上の「炎上」も、こうした「不純な活動」によってもたらされると言えるかもしれない。「炎上」の中には、悪意のない考えから発信したり、コメントをしたりしたことの結果として起きたものもある。そして、極めて悪質な書き込みが、ごく普通の人によってなされることも少なくない。インターネットにおける言論空間で名前を明かさないまま投稿することが、こうした事態を引き起こしている面もあるだろう。

もちろん、ポリスで行われていたような「純粋な活動」が、現代において望ましいとは限らない。正体を完全に明かしたうえで語ったことが「記録」に残るメディアにおいては、過去の発言すべてに責任を負わなくてはならなくなってしまう。さらに、正体を明らかにしてやりとりを行うことで、個人の身体や精神の安定すら損なわれる可能性がある。つまり、正体を明かすことは、人びとの生活の安全という面で望ましくない部分もあるのである。

退避可能性と対等性

現代のデジタル空間には多数の人びとが参加しており、古代ギリシアのポリス社会の比ではない。デジタル空間における社会の範囲は不明確で、自分が発信した情報がどこまで影響を及ぼすのか、その範囲を事前に予測することは困難である。さらに、自分の発言や書き込みがいつまで残るのかもわからない。このような状況では、ポリス社会での活動のように、互いに相手のことを知りながら、対等な関係を結んで語り合ったり討議したりすることは難しい。

だからといって、「純粋な活動」を実現させるために、オンラインでの「活動」を一切禁止するとか、デジタル空間に全く頼らないかたちでの「活動」領域を構築するといったことは、ナンセンスな提案であるだろう。人間は、人間によって作られたデジタル技術という人工物に条件づけられており、その中で生きていくしかないのである。つまり、匿名性はある程度まで私たちにとっての条件となってしまっている。そこで、「活動」そのものがデジタル技術から影響を受けることを考慮しつつ、ポリスでのそれとは異なる「活動」のあり方を考える必要がある。

情報処理速度が以前よりも速くなり、膨大な量の情報をやりとりするような、デジタル化社会のこうした状況は、人びとの「活動」の質を低下させるかもしれない。例えば、個人は自分の情報処理能力を超える量の情報と接することになるため、適切な意思決定や議論ができなくなる可能性がある。あるいは、デジタル化はプライバシーの領域にも入り込んでいるので、「活動」によってかえって生活が脅かされる場合もあろう。したがって、全ての人が等しく有意義に「活動」に参加することは困難だと考えられる。

とは言え、デジタル化社会で生きていくほかないとすれば、最も現実的な選択肢は、何らかの追加的な条件を「活動」に加えることではないだろうか。われわれの考えでは、二つの追加的条件が必要だと思われる。[6]

5——アレントは、ナチスによるホロコーストに深く関与したアイヒマンの裁判を傍聴することで、彼の「平凡さ」を指摘した（Arendt 1963a）。社会にとって、平凡な個人を「悪」へと導くことは極めて危険であるということが、この指摘におけるアレントの重要なメッセージではないだろうか。とすれば、「不純な活動」が持つリスクも見逃せないのである。

（1）退避可能性条件：人間は「活動」から直ちに退出することができなければならない
（2）対等復帰条件：一度退出した「活動」に、対等な立場でいつでも復帰できなければならない

いずれも抽象的な原理だが、デジタル化社会における人間のアクティヴィティを健全なものとするうえで重要な視点だとわれわれは考えている。

今後、人びとがより多くの余暇時間を得るようになったとき、「活動」が人びとの社会生活を妨げるものとなるかもしれない。膨大な量の情報を処理しながらコミュニケーションを行うことは、人びとの生活に悪影響を及ぼす可能性がある。過剰な情報処理が、個人にとって過重な負担となるかもしれないのである。そして、アレント的な枠組みにしたがえば、もともと私的であるはずの領域に、当人の意識しないところで「活動」が入り込むこともあり得る。こうした場合に、「活動」を一時的あるいは部分的に拒否したり、取りやめたりできるということが、第一の条件である。

退避可能性の条件は、アジールの確保（第三章）や、公的領域と私的領域のシームレス化に伴う問題の緩和（第五章）と関係している。退避できる余地を残すことは、人びとのアクティヴィティにおける領域の複数性を保つことにつながる。この第一の条件は、デジタル空間が持つ圧倒

的な力から個人を守ることに資するだけではない。先ほど言及した「不純な活動」を取り除く機能もある。第五章での議論からも示唆されるように、不純性の一部は、他者の目を念頭に置いていない私事が、他者との関わりの中で不用意に現れることに起因する。私事性を強く帯びた事柄が公的領域に入り込むのを防ぐことで、「活動」の基盤は保障されるだろう。「活動」の不純性を減らし、言論や合意形成を意味あるものとするためには、公的領域と私的領域の境目を明確にし、「活動」の舞台である公的領域から退避できることが必要となる。

このような退避は、いついかなる時でも可能であることが理想である。しかし、一時的退避が永遠の退避になる可能性もある。というのも、「活動」から退避することで、「活動」への復帰が難しくなる恐れがあるからである。デジタル化社会では非常に早いスピードで変化が起こっているため、いったん退避した人が他の人びとについていけなくなるということが起こり得る。つまり、退避することで、対等性という「活動」の条件が成り立たなくなるかもしれないのである。こうしたなかで、退避可能性条件だけを認めると、「活動」する人としない人との分断を招いてしまうかもしれない。

6——晩年の作品である『精神の生活』で、アレントは「思考」について考察している。そこではアレントは、世界からのある種の「退却」として「思考」というものを理解しており、注目に値する（Arendt 1977, 1978）。彼女がそこで強調する現象学的還元の能力が、ここでの退避可能性条件と対応するものであるかは、今後の検討課題である。

第二の条件は、こうした事態を防ぐためのものである。これは「活動」から一時的に退避した人が「活動」領域に復帰した際に、対等な関係を維持できるような何らかの措置や介入が必要であることを述べている。

以上の条件を、現実の制度に実装していくことは決して簡単ではない。「データポータビリティ」や「忘れられる権利」をめぐる欧州での議論は、個人のデータの移動や消去を可能にすべきだというもので、いずれもデジタル化社会における個人の選択肢の確保を目的にしている。[7]プライバシーや個人情報をめぐる法制度は、多かれ少なかれ、先述の二条件に関わるルールとして捉えることができる。

しかし、この二つの条件を満たす制度が実現したとしても、それだけでは十分とは言えない。私たちの社会においてこの二つの条件は、制度的にはすでに満たされていると考えることもできるからである。例えば、Twitter や Facebook などのＳＮＳは、やめようと思えばいつでもやめられる。プラットフォームにしても同じである。それに加えて、憲法によって私たちの自由権は保障されているので、ネットワークから退出するのも再参加するのも、問題なくできるはずである。だが、制度上可能であることと、現実に可能であることは別である。

制度上の可能性と事実上の可能性が乖離する理由として、いくつかの要因を挙げることができる。

第一に、私たちはさまざまな関係にロックインされているため、そこから随意に抜け出したり一部の関係だけを断ったりすることはそう簡単にはできない。そのうえ、いったん関係を崩してしまうと、結び直そうとしても難しい場合が多い。つまり、退出するにしても、対等な立場での復帰にしても、そのためのコストは概して高いのである。しかも、そのコストは人によって大きく異なる可能性がある。

第二に、デジタル経済ではネットワーク外部性が働くために、退避には困難が伴う可能性が高い。例えば、デジタル空間では人びとの情報が緊密に結びついているので、それまで利用していたプラットフォームから退避しにくい状況が生まれやすい。退避先があるにしても、そこではごく限られた行動しかできないかもしれない。そのような事態が出来するとすれば、制度が十全に機能しているとは言い難い。こうした問題が生じないような退避先を確保するには、相応の対策が必要となる。

第三に、法律に定められている権利を実現するのは実際には困難だという問題もある。日本で議論されている「忘れられる権利」は、検索サービス事業者に対してウェブ上の情報を削除するよう求めることができる、という権利である[8]。たしかに、この権利はスティグマを払拭するうえで重要な請求権である。しかし、この権利によって消去できるのは空間における情報の

7——これらの権利は、部分的にEU一般データ保護規則（GDPR）に盛り込まれている。「忘れられる権利」をめぐる議論の詳細や各国の対応については、Jones（2016）を参照。

一部にすぎず、完全に情報を消し去ることはできないかもしれない。例えば、企業や各種組織が保有している個人の行動・購買履歴や、他の人たちが保存した個人情報はそのまま残り、データとして利用され得る。そう考えると、忘れられる権利が認められたとしても、退避は不可能であり続けるかもしれない。

しかしそれでも、制度化することには一定の意義がある。そして、制度が改善されることで、ここで述べたような不可能性は、少しずつではあれ解消されていくだろう（第六章補論を参照されたい）。

6-4　デジタル化時代の「人間の条件」

孤立のディストピア

アレント的な意味での「活動」が行われる公的領域は、どのようなものとして構想されるだろうか。

デジタル化社会における重要な変化は、一人ひとりが互いに強い影響を与え合うような状況が生まれるということである。個々人は、ＳＮＳやオンライン上での情報交換から影響を受けるが、それだけでなく、匿名で意見を表明する「大衆」の感情や、それを先導しようとする「オピニオンリーダー」からも影響を受ける可能性がある。つまり、デジタル化社会においては、人と人とがオンライン上で「密」な関係になる。２０２１年１月、アメリカ合衆国議会の議事堂が襲撃される事件が起きたが、襲撃に参加した人の多くはTwitterで拡散された情報の影響を受けていた。そこで形成された「密」な関係が、このような事件を引き起こした側面がある。

こうした密な関係は、各人の選択を通じて形作られていく。ウォルター・リップマン（Walter Lippmann）が『世論』（Lippmann 1922）で指摘しているように、マスメディアなどから得た情報を通じて、人間は世界についてのイメージを頭の中で構成する。リップマンはそれを「擬似環境」と呼ぶが、人間はこの擬似環境の中で自分が見たいと思うものを選んで見るようになる。特にオンライン上では、膨大な情報と検索アルゴリズムによって、このような選択が容易に行われる（いわゆるフィルターバブル）。しかも、選択しなかった情報は、当人の視野にはほとんど入ってこない。

つまり、オンライン上の密な関係は「体験の個別化」を引き起こす。言い換えれば、デジタル空間においては、知らず知らずのうちに個人が都合よく選び取った情報が、その人にとって支配的になっていき、こうして人びとは、情報を個別に体験するのである。例えば、極右や極左の人びとは、自分たちの考え方に近い情報を発信するウェブサイトばかりにアクセスする傾向がある。

8——ＥＵ一般データ保護規則の第17条では、例えば「個人データが、それが収集された目的又はその他の取扱いの目的との関係で、必要のないものとなっている場合」や「個人データが違法に取扱われた場合」などの一定の条件が満たされたときに、個人は企業に対して個人データの消去を求めることができる、と規定されている。

検索アルゴリズムが、当人たちの好みそうなウェブサイトを勧めてくることで、この傾向は強まる。その結果、情報を発信する側の影響力が非常に大きくなる。

この体験の個別化は、「活動」の基盤となる「固有性」――個々人が固有の存在であるという事実――を含意しない。なぜなら、体験が個別化されたとしても、それだけでは一人ひとりの体験に固有の特徴が与えられるわけではないからである。体験の固有性と個別化が結びつくのは、それとは異なる体験が社会の中で共存している場合である。他者による異なる体験があるからこそ、固有性が生じる。デジタル空間で体験が個別化されている状況では、往々にして他者の体験は視界の外に置かれ、人びとは孤立状態に陥りやすい。[9]

「活動」に対して「孤立（loneliness）」が及ぼす弊害については、アレントも論じている。

彼女によれば、人びとが密になることで、孤立状態に陥ることもあり得る。真の孤立とは、人と人とのあいだの空間が埋め尽くされて、身動きが取れなくなるような状態に陥ったときに生まれる。そのとき、人は自分の体験の固有性、ひいては自分自身の固有性を見出せなくなり、一切の「活動」が行えなくなってしまう。[10]

こうしたアレントの考えを踏まえると、オピニオンリーダーと大衆とのやりとりが人を孤独にし、自分という存在の固有性を失わせ、自ら意思決定を行うことを難しくさせるのかもしれない。まさにそのことが、デジタル化時代のデモクラシーが抱える本質的な危機なのではないだろうか。この点において、アレントの次の一節は注目に値する。[11]

今日、他人にたいする「客観的」関係や、他人によって保証されるリアリティがこのように奪われているので、孤独《ロンリネス》の大衆現象が現われている。大衆社会では、孤独は最も極端で、最も反人間的な形式をとっている。なぜ極端であるかといえば、大衆社会は、ただ公的領域ばかり

9――もっとも、ＳＮＳを通じて政治的な連帯が可能になる例はある。類似の経験を持つ人同士を結びつけることに関しては、デジタル空間にもそれなりのメリットがあると言える。本文で述べているのは、他者による違った経験が見えにくくなるということである。

10――人々がいかにして孤立するかを実証的に論じることは、社会科学における重要問題でもある。例えば玄田（２０１３）は「20歳以上59歳以下の在学中を除く未婚無業者のうち、ふだんずっと一人か、一緒にいる人が家族以外いない人々」（玄田2013: 24）を「孤立無業」（Solitary No-Employed Persons, SNEP）と定義し、２０００年代以降無業者になると孤立しやすくなることがより多くの人々にあてはまりつつあることを、データ分析の結果から示した。また、孤立への突入とそこからの脱出を分析した石田（2017, 2020）は、特に男性で無業と孤立の悪循環構造が生じやすいことや、過去にいじめに遭った経験があると孤立から抜け出しにくいことなどを明らかにしている。しかし、これらはおそらくアレントの言う「孤立」ではない。なぜならアレントの注目するような自分らしさのようなもの（体験の固有性）とは異なる、直接会話をするような社会的な接触があるかどうかにこれらの研究が注目しているためである。アレントの言う「孤立」は社会学、社会心理学などで議論されている「孤独」状態の研究との相性がよりよいと思われる。

11――「孤独の大衆現象」は、『全体主義の起源』でのアレントの考察とも大きく関連する（Arendt 1951）。アレントによるマルクス批判の成果でもある論考「イデオロギーとテロル」では、全体主義の根本原因でもある人間の「孤立」について論じられている。こうした文脈で、アレントがフランス革命を評価していないことも注目に値するだろう（Arendt 1963b）。

でなく、私的領域をも破壊し、人びとから、世界における自分の場所ばかりでなく、私的な家庭まで奪っているからである。

（Arendt 1958: 58–9［訳書88頁］）

つまり、大衆が自己を見失った結果として、人間としての条件を織りなす領域が縮減されてしまう。こうして、「公的領域が最終的に消滅すると同時に私的領域も一掃される運命にある」のである（Arendt 1958: 60–1［訳書90頁］）。デジタル化社会がこの先直面するかもしれないディストピア的状況とは、このようなものかもしれない。

デジタル化社会が導くディストピアを取り上げたものは、ＳＦ作品も入れれば多数に上る。それらの中で描かれるのは、暴走するＡＩと機械によって殺される人間たちであるとか、人間の知能をはるかに上回るＡＩに統制される人間であるとか、デジタル技術によって人間の行動が完全に監視される社会であったりする。それらが現実のものとなる可能性はゼロとは言い切れないし、シンギュラリティの問題は、科学者たちによって真剣に議論されている。

しかし、われわれにとって気がかりなのは、それとは異なる意味での「特異点」である。シンギュラリティも問題かもしれないが、人間にとって同じく過酷なのは、自分たちのアクティヴィティが制約され、「反人間的」な孤立状態に陥ることである。それは機械やＡＩによって引き起こされるのではなく、人びとが自ら制約することによってである。デジタル化の行き着く先に到来するかもしれないディストピアは、機械やAIによってではなく、私たち人間によってもたらされるのかもしれない。「活動」「仕事」「労働」といった、人間的なアクティヴィティの喪失によって孤立状態に陥るという意味での「特異点」が、われわれが考えるデジタル時代のディストピアなのである。

通常のシンギュラリティとは異なる、人間のアクティヴィティを喪失させる「特異点」としてのディストピアはどのようなときに起こるのだろうか。この問いは、次の命題の言い換えである。デジタル化時代の「人間の条件」とは一体いかなるものなのか。

デジタル化時代の人間存在

ここで改めて、人間にとって「接触するもの」全てがその存在の条件となるという、アレントの命題に立ち戻ろう。本章の最初で述べたように、人間の条件を構成するのは、一人ひとりが何らかの意味で関係を形づくるところの外部との接触面だというのが、この命題の背景にある重要なアイディアである。このことを踏まえ、デジタル化時代においては、外部世界との接触の仕方も、他者との接触の仕方も、大きく変わるということを考え直す必要がある。デジタル化が進む今、人間同士の関係も、人間と物との関係も変わりつつある。そのことは、人間の条件をどのように変えていくのだろうか。

人は、「活動」「仕事」「労働」といったアクティヴィティを通じて、「自然」、「人工物」や他者を含めた外部世界と接触する。このため、これらのアクティヴィティのあり方がどのように変わるかということが、人間の条件を形づくることになる。これまで議論してきたように、いまや「労働」の多くが、ＡＩや機械に置き換えられていっている。さらに、「仕事」や「活動」にしても、デジタル化の影響を受けざるを得ないところまで来ている。こうしたなかで、ＡＩや機械が学習を通じて、人工物を自ら作り出せるようになっていることは大きい。それによって、クリエイティブな「仕事」も、ＡＩや機械の助けを借りる時代になりつつある。それだけでなく、人と人とのコミュニケーションにおいても、デジタル技術を介在させたかたちが増えている。そのため、外部世界との接触全てが、デジタル技術に依存したものとなっていくだろう。

アクティヴィティ全般にデジタル技術が介入することは避けがたいかもしれないが、「活動」がＡＩや機械によって完全に代替されるわけではない。人間の「語り」や「言葉」は、たとえ人工物を介したものであっても、他者との対峙という本質を失うことがないからである。ＡＩや機械との擬似的交流が存在するにしても、「活動」とは、定義によって、生きた人間との接触なのである。[12]

生身の人間との交流における本質とは何かということは、ＡＩや機械との擬似的交流と、人間との交流とを比較し、そこで見出された違いから理解できるだろう。違いを見出そうとして、一切の違いがないという思いを抱く人もいるかもしれない。しかし、そうだとしても「活動」という営為がもたらすものが何かということを考える契機が与えられる。[13] つまり、「人との関わりとは何か」という問いがより差し迫ったかたちで現れるのが、デジタル化時代の新しさなのかもしれない。他者との接触面が真に問題となる時代が、デジタル化時代と言えるのである。

このように考えていけば、デジタル化時代の人間の条件とは、人間そのものなのではないだろうか。つまり、一人ひとりが、他者との接触面を豊かに持ち、人びとの固有性を尊重し合いながら、孤立状態に陥らないことが、その条件の構成要素である。デジタル化の時代にあっては、他者との「接触」回数は希薄でありながらも膨大なものとなるかもしれない。それは、情報技術をはじめとする技術変化による必然と言えよう。こうしたなかで、デジタル化時代の人間の条件は、一人ひとりの人間に、接触面からの退避を認めることを倫理的に要請すると同時に、自分自身の

12——人間の「活動」にとって、言葉で語ることは特別なものと見なされる。「活動」と「話すこと」の関係は、アレントにおいても幾分か曖昧なままであり、その解釈をめぐって議論がなされている。例えば、Habermas（1971）や Honig（1993）を参照されたい。

13——人と完全なるコミュニケーションを取れるＡＩの登場が、「活動」に何をもたらすかということはあまりここでは問題にしてはいない。しかし、アレントの思想を純粋な規範理論と考えた場合に、ＡＩの登場が一体どのような意味を持つのかは興味深い問題である。この点を説明しておこう。アレントの規範的立場を、主観に基づく個人主義的なアプローチと想定すると、「活動」をする本人は相手がＡＩであろうとそうでなかろうと、同じやりとりができる限り、その（擬似的な）活動がもたらす規範的価値は変わらない。しかし、本文中で述べたとおり、「活動」は定義により、生身の人間とのやりとりでなければならない。この点を考慮に入れたうえで、主観性に一切よらず、生身の人間同士のやりとりそれ自体の内在的価値を認めるような手続き主義的な規範理論の立場をとって、アレントの「活動」に基づく規範理論を構成することもできよう。この場合、完全なるコミュニケーションを取れるＡＩとのコミュニケーションが生身の人間とのそれと同じ規範的価値を持つことはない。

選択によって、再び対等なかたちで復帰できることを要請する。人間の接触面となるところの「活動」領域からの退避可能性条件と対等復帰条件の二つを入念に調整することによって、デジタル化時代のディストピアに陥ることを回避できるのではないだろうか。

デジタル化が進むにつれて、これまで人間にしかできないと思われていたことが、AIや機械にもできるようになりつつあることも重要な点である。啓蒙主義以降の近代社会の大きな特徴は、合理性によって社会を把握しようとすることにある。人間には理性があり、その点が他の動物と異なるというのが、ある意味で、近代以降の社会の基本公理とされてきた。この人間観に従う限り、AIはもう小型人間どころではない。「人間が本当に『理性的動物』であるならば、新しく発明された電子計算機は、実際、小型人間《ホムンクリ》であろう」(Arendt 1958: 172〔訳書270頁〕)とアレントは述べる。ここにおいて「小型人間=ホムンクルス」は、アレントが考える「労働」を代替するものにすぎない。

しかし実際には、電子計算機は、他のすべての機械と同じように、人間の労働力の単なる代替物であり、人工的な改良物にすぎず、たとえば乗法を反復的な加法に置き代えるというような、すべての操作を最も単純な構成要素の動きに分解する昔からある分業装置に続くものである。

(Arendt 1958: 172〔訳書270頁〕)

アレントが知る当時の電子計算機は、現在の水準からすれば格段に性能が劣る。それを「小型人間」と呼ぶならば、人間の労働を代替する現代の機械は、もはや「小型人間」などではなく、「理性的」動物としての人間を凌駕するものとなっている。[14] そこにおいて、人間を「理性的」動物（あるいは「労働する動物」）として捉えている限り、デジタル化時代の「人間の条件」は、ある意味で「自己破壊的」である。[15] なぜなら、それは人間存在に向けられた固有のものではなくなってしまうからである。

しかし、人間の本質を「労働」や「理性」だけで捉える必要はない。[16] 人間は、世界の一部を消費するだけでなく、世界の一部を作り出す。独立した存在ではなく、他者を認め、語り合う。

14——ここで言及される近代的「理性」の厳密な定義の一つの方法は、合理的経済人のように捉えることであろう。つまり、それは計算能力と認知の合理性を前提として、何らかの目的を最大化するような能力である。こうした意味の合理性に関する詳細な議論については、Cato（2016）を参照。

15——もちろん、ここでの議論は「理性」をかなり狭く定義していることに大きく依存する。ここでの計算能力や認知機能などの意味での「理性」を超えて、合理性を捉える試みは多く存在する。例えば、アマルティア・セン（Sen 2007）などは、自分自身のアイデンティティを選択するという意味での理性を考えている。また、ジョン・サール（Searle 2001）やジョン・ブルーム（Broome 2013）の「理由」に基づく理性の議論なども存在する。また、ジョン・ロールズの特に後期の著作でも狭義の理性を超える道理の問題が重要となる（Rawls 1993）。アレントは、こうした広い意味での理性を否定するわけではなく、むしろアレントの「活動」と整合的になりうるものと言ってよいだろう。特に、センの対話に基づく公共的理性は、「活動」との関連も深いはずである。また、「人間観」を狭く定義することが、社会あるいは人間そのものにとって、何らかの困難を生むというのも、ロールズやセンたちと、アレントの議論が共鳴する部分でもある。

ＡＩや機械とは異なる存在として、あなたは何をするのだろうか。このとき、「人間とは何か」という問いは、全ての人間にとって現実的なものとなる。デジタル化が進んでいった、その先に訪れるのは、人間存在が問われ続ける社会ではないだろうか。人間が人間らしく生きていくことが可能な時代が到来するかもしれないのである。

16――ここでの議論の重要な点は、近代的「理性」が社会的な不可能性を導くということである。文脈は違うが、ケネス・アロー（Arrow 1951）による社会的意思決定の不可能性定理を近代的「理性」の問題点を示すものと解釈する文献として加藤（2015）を参照されたい。関連した研究として、Cato（2010, 2013, 2021）そしてBossert and Cato（2020）などを参照。サンクトペテルブルクの逆理に再注目して、期待効用理論の文脈についての、近代的「理性」の問題点を論じたものとしては、Cato（2020）を参照。

第六章　補論

デジタル空間に存在する情報への権利を、人びとのあいだでどのように配分するのか、この権利の内容をどのようなものとするかは、退避可能性条件と対等復帰条件とをどれだけ満たせるかを大きく左右する。その際、情報に対する権利の帰属先を確定させることだけでなく、情報の利用をどのようにコントロールするかを検討することも重要である。通常の所有権と異なり、情報に対する権利の保有者は、何の制約もなく情報を利用してよいわけではない。

この点については、２０１９年３月に起きた「破産者マップ事件」が参考になる。この事件の発端は、あるウェブサイトの運営者が破産者情報をデータベース化し、Googleマップ上でその住所を可視化するサイトを開設したことにある。破産者情報は官報に掲載されているので、誰もが知ることのできる公開情報である。しかも、破産者情報はＤＶＤ化されて販売されてもいる。

しかし、このサイトは（おそらく運営者自身が予想していたよりも）大きな反響を呼び起こし、名誉権やプライバシー権の侵害ではないかという懸念の声が上がり、被害対策弁護団が結成された。サイト運営者は、情報の削除を希望する場合は審査を受けることができるというオプトアウトの仕組みを設けていたが、その仕組み自体にも批判が殺到したうえ、このサイトを利用した架空請求も発生した。

　政府の個人情報保護委員会は、個人情報保護法に照らして問題があるという理由でサイト運営者に対し行政指導を行い、それを受けてウェブサイトは２０１９年３月に閉鎖される。ところがこの年の秋になって、後続のウェブサイトが二つ開設され（別の事業者が運営）、２０２０年７月には同委員会が個人情報保護法に基づいてウェブサイトの停止等の命令を出すに至る。現在では、このようなサイトを開設するのは違法だとされている。

　この事例は、少なくとも次の二つのことを示している。

　一つ目は、情報の流通を許す範囲とその得失を見極めたうえで制度設計をしなければならない、ということである。誰でも入手可能な情報であっても、そのことをもって、その情報を自由に流通させてよいということにはならない。特に個人情報の場合、情報の利用によるメリットと本人のデメリットとを慎重に比較衡量する必要がある。

　二つ目は、「公開」にもさまざまなレベルがあるということである。われわれの考えでは「公的領域」は単一のものではなく、そのようにすべきでもない。「公開」と聞くと、「公開」か「秘密」かの二者択一のように考えられがちだが、この二つのあいだには多様な情報共有の形態がある。例えば、情報を共有するメンバーを制限する方法のほか、情報の共有そのものは認めつつ、情報の利用や流通のしかたをコントロールする方法もある。本文で触れた「退避先」は完全に「秘密」の状態だけではなく、そのような中間部分にも見出されるはずである。そして、最適な情報共有の形態は自然にできてくるとは限らない（自然にできるとしても、それまでに犠牲にされる利益が大きくなりすぎるかもしれない）ので、中間部分は意識的に作り上げていく必要がある。

プライバシーや個人情報保護の考え方は、社会が変化するにつれて変容し、今なお課題は多く残されている（宮下2021）。「公的領域」とは別の領域を確保することで、人びとの「活動」を充実させるものだとすれば、試行錯誤による制度の微修正を通じて、事実上の退避可能性を少しでも増やしていくのが望ましいだろう。

巻末補足「日々の暮らしの価値観・行動に関するオンライン調査」の概要

調査の目的

本書では、ハンナ・アレントの『人間の条件』の議論を補助線としながら、筆者らの専門である社会科学諸分野の理論や実証的知見を整理することで議論を進めてきた。それにより、デジタル化が現代社会に与えるさまざまなインパクトに関する見取り図を描こうとしてきた。

本書の執筆を進める過程で、われわれのあいだで議論が深まり、人びとがデジタル化にまつわるどのような価値観、意識、経験を有しているのかへの関心も強まった。デジタル化が日常生活にどのように浸透しているのかについて実際のデータを通して考えることで本書の議論がより深まることを期待し、「日々の暮らしの価値観・行動に関するオンライン調査」（以下、本調査）を企画・実施することとなった。[17]

調査対象とサンプリング方法

本調査では、調査実施時点で満25歳から69歳の日本在住の男女を対象とした。幅広いライフステージにいる人びとの、さまざまな生活領域でのデジタル化にかかわる事項が主要な関心事であったことが、調査対象の設定理由である。学校生活についてはコンテクストが異なると判断したため、20代前半は対象から除いた。

本調査が、本書の議論の補強を目的としていたことや、調査事項の中には筆者ら内部の議論を経ているが試行的なものも含まれていたため、公募型のアクセスパネル（オンラインモニター）を用いた[18]。公募型パネルから得られる標本が一般的な確率抽出標本と比べて母集団特性から乖離しやすいという問題は広く知られている（三輪ほか2020）。できる限りの事後的対処として、直近の政府統計（総務省統計局による「人口推計」や「就業構造基本調査」）の結果を用い、性別、年齢層、地方区分あるいは最終学歴によるウェイトを作成した集計、分析も試みており、ウェイトを用いない場合と比べて結果に大差がないことを確認している。しかし、人口学的特性にとどまらない生活様式や価値観による偏りの可能性は否定できない。本書のデータ分析結果の妥当性については、今後さまざまな調査による再検証と批判を待ちたい。

サンプリングは、調査企画時点で利用可能な人口推計（総務省統計局）の最新情報（２０１９年

17——本調査は、東京大学若手研究者自立支援制度（卓越研究員、平成30年度、代表者：伊藤亜聖）の補助を受けて実施した。なお、調査実施に先立ち、東京大学社会科学研究所・研究倫理審査委員会での審査、承認を受けている。

18——本調査では、楽天インサイト株式会社が保有するアクセスパネルを利用した。

10月現在）に基づき、性別、年齢層、地方区分を組み合わせて目標回収数を設定し、全体で２０００名の回収を目指した。いわゆる割当抽出と同じ方法ではないが、回収が迅速に行えること、割当に用いた情報については事後的に調整可能であることにより、上記の手続きを採用した。

調査方法と実施過程

実査はウェブ回答による。東京大学社会科学研究所で契約しているウェブ調査プラットフォーム・Qualtrics（クアルトリクス）を用い、筆者ら自身で調査画面を構築した。調査業務委託先の楽天インサイトより調査対象者に協力依頼が配信され、調査に同意した者が回答するようになっている。回答完了者には、同社の規定に基づき謝礼が付与される。

調査案内と協力依頼は、２０２０年11月10日に１万６５１４通が配信された。配信案内を送付したケースで未回答のもののうち、回収状況を考慮して２０２０年11月16日に５８２６通の督促配信を行った。回答は２０２０年11月17日に締め切られ、２１２８名からの有効回答を得た。

あとがき

デジタル化は社会を大きく変えるのかという問いは、すでに広く社会で共有された問いとなっている。一つひとつ挙げていくのが困難なほど多くの著作が出版されており、それぞれがこの問いになんらかのかたちで取り組んでいる。デジタル化が経済活動を活性化させたり、法制度上の制約を大きく改善したりする可能性などは広く議論されている。その一方で、プライバシーの侵害を招く、デジタル化によって消滅してしまう仕事があるなどのリスクも指摘されている。単純化すれば、デジタル化が良いものであると主張するユートピア論者と、悪いものであると主張するディストピア論者がいるが、デジタル化が社会に与える影響を評価するのが簡単ではないことは、すでに「常識」になっていると言えるかもしれない。本書でも、良い影響を与えるのか、悪影響を与えるのかについての診断を与えたわけではない。その意味では、歯切れの悪い結論を提示しているのかもしれない。

結論が曖昧であることを、悪いことだとは思わない。社会科学の最終的な目標が、善悪をはじめとする価値の問題に対して明確な回答を与えることでは必ずしもないと、私たちは考えているからである。むしろ社会現象や価値について、その意味や本質とはなにかを少しでも深く考える取り組みが、社会科学の最も重要な作業だと考えている。こうした意味では、私たちにとってとても実りある機会となったように思っている。こうした自分たちの体験を読者の方々と共有できれば、本書の重要な目標は達成されたのではないだろうか。

私たちは同じ大学の同じ研究所で働く同僚の集まりである。研究所の共同プロジェクト「デジタル化の社会科学」で取り組んだことがはじまりである。伊藤が中国研究に携わるなかでデジタル化に関心を持ち、2019年に所内の支援を得てメンバーを募り研究会がはじまった。飯田・石田・加藤はそのメンバーである。初年度は、本書の著者以外の研究者も参加するかたちで研究会を行った。当初は、社会科学の各分野における近年のデジタル化に関する議論の進展を整理し、どのような研究が求められているのか検討することを目的としていた。しかし、研究会を進めるなかで、自分たちなりの見解らしきものも生まれ、なんらかの成果を残したほうがよいのではないかという思いから、出版するための原稿を少しずつ書きはじめた。研究会での報告をもとにして、2020年の春に加藤が書いた第2章が最初の草稿である。第1章の草稿を伊藤が書き上げた後に、本の構想や枠組みなどを相談し、他の章を書いていった。2020年の秋頃が多くの草稿が進められた時期である。

一方、執筆を進めるなかで、最後の最後まで悩んだのは第6章である。新型コロナのパンデミックの中での取り組みだったこともあるかもしれないが、全体を通じて悩みはつきものだった。異なる分野のメンバーで集まることによって、普段考えないようなことを考える機会になった一方で、共同研究ならではの苦しみも感じた。用語や概念の用い方の差だけでなく、デジタル化への対応策を巡っても著者間には視点の差があった。社会科学の方法論（メソドロジー）とは一体なんだろうかということを考えながらの作業とならざるを得なかった。

全体の構想をまとめていくうえで、アレントの思想を拡張しながら議論していくのは、面白くもある一方で、勇気のいることだった。社会科学のさまざま古典やSDGsといった国際的取り組みと結びつけることも考えたが、まとめや解説的な本に近づいてしまうと思われたので、現在の方針を選んだ。こうした枠組みの選択には議論が必要だった。

本書は全ての章を全ての著者が手を入れたことは間違いないが、それぞれの章には主担当がいる。第1章は、上述のように伊藤が主担当である。加藤が草稿を再編集した後、メンバー間でやりとりをした。第2章は、加藤によって最初に書かれた原稿がもとになっている。最初の草稿には、第4章の内容も含まれており、これは途中で切り離された。2段落ごとに加藤がメンバーに送り、手直ししていくという作業も行った。加藤の作業の後に伊藤が手を入れた。第3章は、飯田が主担当として取り組んだ章である。いったん原稿が完成した後に、加藤が第2章と第6章との接合のために手を入れた。第4章は、第2章から切り離されたものから構成されており、加藤が切り離した原稿を大まかに手直ししたのち、伊藤が整理を行った。最初の原稿は経済学的色彩が強かったが、石田が社会学の議論を組み込んだ。第5章は、石田が主担当である。研究会の報告では、石田は教育の問題を議論したが独立の原稿を書き下ろした。内容などを踏まえて、他の著者と相談し、2020年11月にオンライン調査などを行ったが、その分析が活用されている。第6章は、加藤が他の章の草稿が出来上がったのちに、それを踏まえて草稿を書いた。メンバー全員による議論をへて、飯田が若干の加筆を行った。脱稿する直前まで、加藤と飯田で相談が行われた。

最後に謝辞を述べておきたい。東京大学社会科学研究所という場所がなければ書けなかった。特に、所内のプロジェクト支援を受けている。最初の年に行った研究会に参加してくれたケネス・盛・マッケルウェインさんは示唆的な報告をしてくださった（本書の執筆には参加されていない）。石田浩さんも、数回にわたり参加してくれ、さまざまなコメントをくださった。また、加藤は、2021年の1月に大阪大学でオンライン開催された文部科学省委託事業「人文学・社会科学を軸とした学術知共創プロジェクト」のワークショップに参加する機会をいただいた。堂目卓生先生からのお誘いだったが、「AIと倫理」というトピックのディスカッショングループに参加し、短い時間ではありながらも、幅広い研究者と交流させていただいた（ここで「先生」と書いているのは加藤が学部のゼミ生だったからである）。2019年の秋から冬だったと思うが、宇野重規さんは、本にするにあたって出版社などについて相談に乗ってくれた。本書のタイトルである「デジタル化時代の「人間の条件」」は、駅に向かいながら、宇野さんに本の構想を相談しているときに去り際にふと呟いてくださったものである。そして、宇野さんより紹介いただいた筑摩書房の石島裕之さんには、一つ一つの文章を確認していただき、丁寧なコメントをいただいた。本書のような形式の出版物に慣れない著者もいる中で、石島さんとのやりとりは大きな学びの機会にもなった。感謝を申し上げたい。また、特に、感謝したいのは、２０２０年3月から行っている新型コロナパンデミックについての研究仲間である。この本の著者に加えて、勝又裕斗さん、庄司匡宏さん、マッケルウェインさんの3名からなる7名で研究を行っている。つながることが難しい状況下でも、私たちが孤立状態に陥らずに議論、執筆を続けられたのは、オンラインツールを介して研究仲間との知的交流の場を維持できたからだろう。本書の冒頭で、このプロジェクトがデジタル化の恩恵を幾分か受けていることに触れた。執筆の技術的な環境に加え、研究活動にとって重要な社会的なつながりを維持し続けられたという意味でも、私たちはデジタル化のポジティブな側面を享受できたのかもしれない。

◎本書は学内の支援のほかにも以下の研究費からの補助を受けている。
科学研究費補助金基盤研究（C）JP19K01258（研究課題名：「市場の動態とルールの変遷過程：系統学的アプローチ」、研究代表者：飯田高）
科学研究費補助金基盤研究（挑戦的研究（萌芽））JP21K18450（研究課題名：「生活時間における「マルチタスク」とその背景・帰結に関する調査研究」、研究代表者：石田賢示）
科学研究費補助金基盤研究（C）JP20K12367（研究課題名：「アジアにおけるデジタル化の国際比較―利活用水準、政策体系、電子認証制度に注目して」、研究代表者：伊藤亜聖）
科学研究費補助金基盤研究（B）JP20H01446（研究課題名：「ロールズ政治哲学と政治・経済思想：21世紀のリベラリズムをめざして」、研究代表者：宇野重規）
三菱財団助成（研究課題名：「社会思想と厚生経済学」、研究代表者：加藤晋）

省訳『世界開発報告2016　デジタル化がもたらす恩恵』一灯舎、2016年］
Wright, Erik Olin (2000) "Working-Class Power, Capitalist-Class Interests, and Class Compromise," *American Jounal of Sociology*, 105(4): 957–1002.
Young, Michael D. (1994 [1958]) *The Rise of the Meritocracy*. Transaction Publishers.［窪田鎮夫・山元卯一郎訳『メリトクラシー』講談社エディトリアル、2021年］

Shapiro, Carl, and Hal R. Varian (1999) *Information Rules: A Strategic Guide to the Network Economy*. Harvard Business School Press. ［千本倖生監訳・宮本喜一訳『「ネットワーク経済」の法則――アトム型産業からビット型産業へ』IDGコミュニケーションズ、1999年］

Solow, Robert M. (1958) "A Skeptical Note on the Constancy of Relative Shares," *American Economic Review*, 48(4): 618–631.

Sullivan, Oriel, and Jonathan Gershuny (2018) "Speed-Up Society? Evidence from the UK 2000 and 2015 Time Use Diary Surveys," *Sociology*, 52(1): 20–38.

Susskind, Richard (2017) *Tomorrow's Lawyers: An Introduction to Your Future, 2nd ed.* Oxford University Press.

Szalai, Alexander (1966) "Trends in Comparative Time-Budget Research," *American Behavioral Scientist*, 9(9): 3–8.

Tirole, Jean (2016) *Économie du bien commun*. Presses Universitaires de France. ［村井章子訳『良き社会のための経済学』日本経済新聞出版社、2018年］

Vallentyne, Peter, Hillel Steiner, and Michael Otsuka (2005) "Why Left-libertarianism is not Incoherent, Indeterminate, or Irrelevant: A Reply to Fried," *Philosophy & Public Affairs*, 33(2): 201–215.

Wajcman, Judy (2008) "Life in the Fast Lane? Towards a Sociology of Technology and Time," *British Journal of Sociology*, 59(1): 59–77.

Weber, Max (1921-1922) *Wirtschaft und Gesellschaft*, Verlag von J. C. B. Mohr (Paul Siebeck) [translated by Keith Tribe, *Economy and Society*, Harvard University Press, 2019]

Wellman, Barry, Anabel Quan Haase, James Witte, and Keith Hampton (2001) "Does the Internet Increase, Decrease, or Supplement Social Capital? Social Networks, Participation, and Community Commitment," *American Behavioral Scientist*, 45(3): 436–555.

Williamson, Oliver E. (1975) *Markets and Hierarchies: Analysis and Antitrust Implications: A Study in the Economics of Internal Organization*. The Free Press. [浅沼萬里・岩崎晃訳『市場と企業組織』日本評論社、1980年]

Williamson, Oliver E. (1996) *The Mechanisms of Governance*. Oxford University Press. ［石田光男・山田健介訳『ガバナンスの機構――経済組織の学際的研究』ミネルヴァ書房、2017年］

Williamson, Oliver. E. (1979) "Transaction-Cost Economics: The Governance of Contractual Relations," *Journal of Law and Economics*, 22(2): 233–261.

World Bank (2016) *World Development Report* 2016*: Digital Dividends*. World Bank. ［田村勝

Rawls, John (1955) "Two Concepts of Rules." *The Philosophical Review*, 64(1): 3–32.

Rawls, John (1958) "Justice as Fairness," *The Philosophical Review*, 67(2): 164–194.

Rawls, John (2007) *Lectures on the History of Political Philosophy*. Harvard University Press (Edited by Samuel Freeman). ［齋藤純一・佐藤正志・山岡龍一・谷澤正嗣・高山裕二・小田川大典訳『ロールズ政治哲学史講義 I』岩波現代文庫、2020年］

Rawls, John. (1993) *Political Liberalism*, Columbia University Press.

Reich, Justin, and José A. Ruipérez-Valiente (2019) "The MOOC Pivot," *Science*, 363(6423): 130–131.

Risjord, Mark (2014) *Philosophy of Social Science: A Contemporary Introduction*. Routledge.

Roemer, John. E. (1982) *A General Theory of Exploitation and Class*. Harvard University Press.

Rosa, Hartmut (2003) "Social Acceleration: Ethical and Political Consequences of a Desynchronized High-Speed Society," *Constellations*, 10(1): 3–33.

Rosenberg, Alex, and Lee McIntyre (2019) *Philosophy of Science: A Contemporary Introduction*. Routledge.

Rousseau, Jean-Jacques (1762) *Du Contrat Social: Ou Principes du Droit Politique*. ［中山元訳『社会契約論／ジュネーヴ草稿』光文社古典新訳文庫、2008年］

Sato, Yoshimichi, and Shin Arita (2016) "Inequality in Educational Returns in Japan," in Fabrizio Bernardi and Gabriele Ballarino eds, *Education, Occupation and Social Origin: A Comparative Analysis of the Transmission of Socio-Economic Inequalities*. Edward Elgar. 94–113.

Savage, Scott J., and Donald M. Waldman (2015) "Privacy Tradeoffs in Smartphone Applications," *Economics Letters*, 137: 171–175.

Searle, John. R. (1964) "How to Derive 'Ought' From 'Is'." *The Philosophical Review*, 73(1): 43–58.

Searle, John. R. (2001) *Rationality in Action*. MIT Press.

Sen, Amartya (1987) *On Ethics and Economics*. Oxford University Press. ［徳永澄憲・松本保美・青山治城訳『アマルティア・セン講義　経済学と倫理学』ちくま学芸文庫、2016年］

Sen, Amartya (2007) *Identity and Violence: The Illusion of Destiny*. W.W. Norton & Company.

Serrano-Cinca, C., José Félix Muñoz-Soro, and Isabel Brusca (2018) "A Multivariate Study of Internet Use and the Digital Divide," *Social Science Quarterly*, 99(4): 1409–1425.

Sewell, Graham, James R. Barker, and Daniel Nyberg (2012) "Working under Intensive Surveillance: When Does 'measuring Everything That' Moves Become Intolerable?" *Human Relations*, 65(2): 189–215.

Management. Pearson.［奥野正寛・伊藤秀史・今井晴雄・西村理・八木甫訳『組織の経済学』NTT 出版、1997年］

Moriguchi, Chiaki, and Emmanuel Saez (2008) "The Evolution of Income Concentration in Japan, 1886–2005: Evidence from Income Tax Statistics," *The Review of Economics and Statistics*, 90(4): 713–734.

Morishima, Michio (1973) *Marx's Economics: A Dual Theory of Value and Growth*. Cambridge University Press.［高須賀義博訳『マルクスの経済学——価値と成長の二重の理論』東洋経済新報社、1974年］

Negroponte, Nicholas P. (1995) *Being Digital*. Alfred A. Knopf.［福岡洋一訳『ビーイング・デジタル——ビットの時代』新装版、アスキー出版局、2001年］

Nie, Norman H. (2001) "Sociability, Interpersonal Relations, and the Internet: Reconciling Conflicting Findings," *American Behavioral Scientist*, 45(3): 420–435.

Nie, Norman H., and Lutz Erbring (2002) "Internet and Society: A Preliminary Report," *IT & Society*, 1(1): 275–283.

Nozick, Robert (1974) *Anarchy, State, and Utopia*. Basic Books.

OECD(2019) *Measuring the Digital Transformation: A Roadmap for the Future*. OECD Publishing.

Otsuka, Michael (2003) *Libertarianism without Inequality*. Oxford University Press.

Park, Kyung-Gook, and Sehee Han (2018) "How Use of Location-Based Social Network (LBSN) Services Contributes to Accumulation of Social Capital," *Social Indicators Research*, 136(1): 379–396.

Piketty, Thomas (2013) *Le capital au XXIe siècle*. Éditions du Seuil.［山形浩生・守岡桜・森本正史訳『21世紀の資本』みすず書房、2014年］

Pistor, Katharina (2019) *The Code of Capital: How the Law Creates Wealth and Inequality*. Princeton University Press.

Postone, Moishe (1993) Time, Labor, and Social Domination: A reinterpretation of Marx's critical theory. Cambridge University Press.［白井聡・野尻英一監訳『時間・労働・支配——マルクス理論の新地平』筑摩書房、2012年］

Putnam, Robert D. (2000) *Bowling Alone: The Collapse and Revival of American Community*. Simon & Schuster.［柴内康文訳『孤独なボウリング——米国コミュニティの崩壊と再生』柏書房、2006年］

Putnam, Robert D. (2015) *Our Kids: The American Dream in Crisis*. Simon & Schuster.［柴内康文訳『われらの子ども——米国における機会格差の拡大』創元社、2017年］

624.
Katz, Lawrence F., and Kevin M. Murphy (1992) "Changes in relative wages, 1963–1987: Supply and demand factors," *The Quarterly Journal of Economics*, 107(1): 35–78.
Kawaguchi, Daiji, and Yuko Mori (2016) "Why Has Wage Inequality Evolved so Differently Between Japan and the US? The Role of the Supply of College-Educated Workers," *Economics of Education Review*, 52: 29–50.
Keynes, John Neville (1955) *The Scope and Method of Political Economy (4th Edition)*. Kelley and Millman, Inc. (Originally published in 1891)
Kleinberg, Jon, Jens Ludwig, Sendhil Mullainathan, and Cass R Sunstein (2018) "Discrimination in the Age of Algorithms," *Journal of Legal Analysis*, 10: 113–174.
Kristeva, Julia (1999) *Le génie féminin, tome 1 : Hannah Arendt*. Fayard.［青木隆嘉訳『ハンナ・アーレント講義――新しい世界のために』論創社、2015年］
Kurzweil, Ray (2005) *The Singularity is Near: When Humans Transcend Biology*. Penguin Books.［井上健・小野木明恵・野中香方子・福田実訳『ポスト・ヒューマン誕生――コンピュータが人類の知性を超えるとき』NHK出版、2007年］。
Lessig, Lawrence (1999) *Code: And Other Laws of Cyberspace*. Basic Books.［山形浩生・柏木亮二訳『CODE：インターネットの合法・違法・プライバシー』翔泳社、2001年］
Lippert-Rasmussen, Kasper (2018) *Relational Egalitarianism: Living as Equals*. Cambridge University Press.
Lippmann, Walter (1922) *Public Opinion*. Harcourt, Brace & Co.［掛川トミ子訳『世論（上・下）』岩波文庫、1987年］
Locke, John (1690) *Two Treatises of Government*.［加藤節訳『統治二論』岩波文庫、2010年；角田安正訳『市民政府論』光文社古典新訳文庫、2011年］
Mankiw, N. Gregory (2013) "Defending the One Percent," *Journal of Economic Perspectives*, 27(3): 21–34.
Marx, Karl (1867) *Das Kapital. Erster Band. Buch I: Der Produktionsprosess des Kapitals*.［今村仁司・鈴木直・三島憲一訳『資本論　第1巻（上・下）』筑摩書房、2005年］
Marx, Karl (1875) *Kritik des Gothaer Programms*.［望月清司訳『ゴータ綱領批判』岩波文庫、1975年］
McAfee, Andrew, and Erik Brynjolfsson (2017) *Machine, Platform, Crowd: Harnessing Our Digital Future*. W. W. Norton & Co.［村井章子訳『プラットフォームの経済学――機械は人と企業の未来をどう変える？』日経BP社、2018年］
Milgrom, Paul R. , and John D. Roberts (1992) *Economics, Organization and*

Goldin, Claudia, and Lawrence F. Katz (2009) *The Race between Education and Technology*. Harvard University Press.

Gordon, Andrew (2017) "New and Enduring Dual Structures of Employment in Japan: The Rise of Non-Regular Labor, 1980s–2010s," *Social Science Japan Journal*, 20(1): 9–36.

Habermas, Jürgen (1971) *Philosophisch-politische Profile*. Suhrkamp.［小牧治・村上隆夫訳『哲学的・政治的プロフィール〈上〉――現代ヨーロッパの哲学者たち』未來社、1984年］

Haerpfer, Christian W., Ronald Inglehart, Alejandro Moreno, Christian Welzel, Kseniya Kizilova, Diez-Medrano Jamie, Marta Lagos, Pippa Norris, Eduard Ponarin, Bi Puranen, et al. (eds.). (2020) World Values Survey: Round Seven – Country-Pooled Datafile. Madrid, Spain & Vienna, Austria: JD Systems Institute & WVSA Secretariat. doi:10.14281/18241.13

Hannum, Emily, Hiroshi Ishida, Hyunjoon Park, and Tony Tam (2019) "Education in East Asian Societies: Postwar Expansion and the Evolution of Inequality," *Annual Review of Sociology*, 45(1): 625–647.

Hjort, Jonas, and Jonas Poulsen (2019) "The Arrival of Fast Internet and Employment in Africa," *American Economic Review*, 109(3): 1032–1079.

Honig, Bonnie (1993) *Political Theory and the Displacement of Politics*. Cornell University Press.

Ikenaga, Toshie, and Ryo Kambayashi (2016) "Task Polarization in the Japanese Labor Market: Evidence of a Long-Term Trend," Industrial Relations: *A Journal of Economy and Society*, 55(2): 267–293.

International Labour Organization (ILO) (2015) "The Labour Share in G20 Economies," Report prepared for the G20 Employment Working Group, Antalya, Turkey, 26–27 February 2015.

Ishida, Hiroshi (1993) *Social Mobility in Contemporary Japan*, Macmillan.

Ishida, Hiroshi, Walter Muller, and John M. Ridge (1995) "Class Origin, Class Destination, and Education : A Cross-National Study of Ten Industrial Nations," *American Journal of Sociology*, 101(1):145–193.

Jones, Meg Leta (2016) *Ctrl + Z: The Right to be Forgotten*. New York University Press.［石井夏生利監訳、加藤尚徳・高崎晴夫・藤井秀之・村上陽亮訳『Ctrl+Z 忘れられる権利』勁草書房、2021年］

Kahneman, Daniel, Peter P. Wakker, and Rakesh Sarin (1997) "Back to Bentham? Explorations of Experienced Utility," *The Quarterly Journal of Economics*, 112(2): 375–406.

Kaldor, Nicholas (1957) "A Model of Economic Growth," *The Economic Journal*, 67(268): 591–

井暁・中村宗之訳『自己所有権・自由・平等』青木書店、2005年]

Colander, David (1992) "Retrospectives: The Lost Art of Economics," *Journal of Economic Perspectives*, 6(3): 191−198.

Coleman, James S. (1988) "Social capital in the creation of human capital," *American Journal of Sociology*, 94: S95–S120.

Cristia, Julian, Pablo Ibarrarán, Santiago Cueto, Ana Santiago, and Eugenio Severín (2017) "Technology and Child Development: Evidence from the One Laptop per Child Program," *American Economic Journal: Applied Economics*, 9(3): 295-320.

De Filippi, Primavera, and Aaron Wright (2018) *Blockchain and the Law: The Rule of Code*. Harvard University Press. [片桐直人編訳、栗田昌裕・三部裕幸・成原慧・福田雅樹・松尾陽訳『ブロックチェーンと法——〈暗号の法〉がもたらすコードの支配』弘文堂、2020年]

de la Rica, Sara, and Lucas Gortazar (2016) "Differences in Job De-Routinization in OECD Countries: Evidence from PIAAC," IZA Discussion Papers, No. 9736, Institute for the Study of Labor (IZA).

DiMaggio, Paul, Eszter Hargittai Hargittai, Coral Celeste, and Steven Shafer (2004) "Digital Inequality: From Unequal Access to Differentiated Use," in Kathryn M. Neckerman ed., *Social Inequality*. SAGE Publishing. 355−400.

Dohrn-van Rossum, Gerhard (1992) *Die Geschichte der Stunde: Uhren und moderne Zeitordnungen*. Carl Hanser Verlag. [Translated by Thomas Dunlap, *History of the Hour: Clocks and Modern Temporal Orders*, University of Chicago Press, 1996].

Fleurbaey, Marc, and Didier Blanchet (2013). *Beyond GDP: Measuring Welfare and Assessing Sustainability*. Oxford University Press.

Fleurbaey, Marc (2008) *Fairness, Responsibility, and Welfare*. Oxford University Press.

Frey, Bruno S., and Alois Stutzer (2002) "What Can Economists Learn from Happiness Research?," *Journal of Economic Literature*, 40(2): 402−435.

Frey, Carl Benedikt, Michael A. Osborne (2017) "The Future of Employment: How Susceptible Are Jobs to Computerisation?," *Technological Forecasting and Social Change*, 114: 254−280.

Friedman, Milton (1953) *Essays in Positive Economics*. University of Chicago Press.

Friedmann, Georges (1960) "Leisure and Technological Civilization," *International Social Science Journal*, 12(4): 509−521.

Gershuny, Jonathan (2003) "Web Use and Net Nerds: A Neofunctionalist Analysis of the Impact of Information Technology in the Home," *Social Forces*, 82(1): 141−168.

(2020a) "The Fall of the Labor Share and the Rise of Superstar Firms," *The Quarterly Journal of Economics*, 135(2): 645–709.

Autor, David H., David Dorn, Lawrence F. Katz, Christina Patterson, and John Van Reenen (2020b) "Replication Data for: 'The Fall of the Labor Share and the Rise of Superstar Firms," Harvard Dataverse, V1. https://doi.org/10.7910/DVN/6LVZM7.

Autor, David H., Frank Levy, and Richard J. Murnane (2003) "The Skill Content of Recent Technological Change: An Empirical Exploration," *The Quarterly Journal of Economics*, 118(4): 1279–1333.

Borjas, George J. (2013) *Labor Economics, Sixth Edition*. McGraw-Hill.

Bossert, Walter, and Susumu Cato (2020) "Acyclicity, Anonymity, and Prefilters," *Journal of Mathematical Economics*, 87: 134–141.

Bowles, Samuel, and Herbert Gintis (1988) "Contested Exchange: Political Economy and Modern Economic Theory," *American Economic Review*, 78(2): 145–150.

Broome, John. (2013) *Rationality through Reasoning*. John Wiley & Sons.

Case, Anne, and Angus Deaton (2015) "Rising Morbidity and Mortality in Midlife among white Non-Hispanic Americans in the 21st Century," *Proceedings of the National Academy of Sciences*, 112(49): 15078–15083.

Cato, Susumu (2010) "Brief Proofs of Arrovian Impossibility Theorems," *Social Choice and Welfare*, 35(2): 267–284.

Cato, Susumu (2013) "Quasi-decisiveness, Quasi-ultrafilter, and Social Quasi-orderings," *Social Choice and Welfare*, 41(1): 169–202.

Cato, Susumu (2016) *Rationality and Operators*. Springer.

Cato, Susumu (2020) "From the St. Petersburg Paradox to the Dismal Theorem," *Environment and Development Economics*, 25(5): 423–432.

Cato, Susumu (2021) "Preference Aggregation and Atoms in Measures," *Journal of Mathematical Economics*, 94: 102446.

Cato, Susumu, and Masaki Nakabayashi (2020) "A Rehabilitation of the Institutional Approach to Japanese Economic History: Introduction to the Special Issue," *Social Science Japan Journal*, 23(2): 137–145,

Chatterjee, Mala (2020) "Lockean Copyright Versus Lockean Property," *Journal of Legal Analysis*, 12:136–182.

Coase, Ronald H. (1937) "The Nature of the Firm," *Economica*, 4(16): 386–405.

Cohen, Gerald A. (1995) *Self-ownership, Freedom, and Equality*. Cambridge University Press. ［松

Processing Perspective," *PeerJ Computer Science*, 2: e93 https://doi.org/10.7717/peerj-cs.93.

Anderson, Ben, and Karina Tracey (2001) "Digital Living," *American Behavioral Scientist*, 45(3): 456–475.

Aoki, Masahiko (1988) *Information, Incentives and Bargaining in the Japanese Economy: A Microtheory of the Japanese Economy*. Cambridge University Press.［永易浩一 訳『日本経済の制度分析――情報・インセンティブ・交渉ゲーム』筑摩書房、1992年］

Arendt, Hannah (1951) *The Origins of Totalitarianism*. Harcourt, Brace and Co.［大久保和郎訳『全体主義の起原 1 ～ 3〔新版〕』みすず書房、2017年］

Arendt, Hannah (1958) *The Human Condition*. University of Chicago Press.［志水速雄訳『人間の条件』ちくま学芸文庫、1994年］

Arendt, Hannah (1963a) *Eichmann in Jerusalem: A Report on the Banality of Evil*. Viking.［大久保和郎訳『エルサレムのアイヒマン――悪の陳腐さについての報告〔新版〕』みすず書房、2017年］

Arendt, Hannah (1963b) *On Revolution*. Viking.［志水速雄訳『革命について』ちくま学芸文庫、1995年］

Arendt, Hannah (1972) *Crises of the Republic: Lying in Politics; Civil Disobedience; On Violence; Thoughts on Politics and Revolution*. Harvest Books.［山田正行訳『暴力について――共和国の危機』みすず書房、2000年］

Arendt, Hannah (1977) *The Life of the Mind, Vol.I: Thinking*. Harcourt Brace Jovanovich.［佐藤和夫訳『精神の生活　上　第一部　思考』岩波書店、1994年］

Arendt, Hannah (1978) *The Life of the Mind, Vol.II: Willing*. Harcourt Brace Jovanovich.［佐藤和夫訳『精神の生活　下　第二部　意志』岩波書店、1994年］

Arrow, Kenneth J. (1951) *Social Choice and Individual Values*. Wiley (2nd ed., 1963).

Arrow, Kenneth J. (1962) "Economic welfare and the allocation of resources for invention," in Rechard R. Nelson, ed. *The Rate and Direction of Inventive Activity*. Princeton University Press. 609–626.

Arrow, Kenneth J. (1974) *The Limits of Organization*. W. W. Norton & Company.［村上泰亮訳『組織の限界』ちくま学芸文庫、2017年］

Arrow, Kenneth J., Kristen Renwick Monroe, and Nicholas Monroe Lampros (2017) *On Ethics and Economics: Conversations with Kenneth J. Arrow*. Routledge.

Autor, David H. (2015) "Why Are There Still So Many Jobs? The History and Future of Workplace Automation," *Journal of Economic Perspectives*, 29(3): 3–30.

Autor, David H., David Dorn, Lawrence F. Katz, Christina Patterson, and John Van Reenen

中村高康（2018）『暴走する能力主義――教育と現代社会の病理』ちくま新書。

新津晃一（1977）「付論　余暇論の系譜」松原治郎（編）『講座余暇の科学1　余暇社会学』垣内出版、233–288頁。

日本アーレント研究会編（2020）『アーレント読本』法政大学出版局。

深町晋也（2018）「ロボット・AIと刑事責任」弥永真生・宍戸常寿（編）『ロボット・AIと法』有斐閣、209–232頁。

古田和久（2018）「高学歴化社会における学歴と職業的地位の関連」理論と方法33巻2号、234–246頁。

松尾陽編（2017）『アーキテクチャと法――法学のアーキテクチュアルな転回？』弘文堂。

松原治郎（1977）「余暇の社会学」松原治郎（編）『講座余暇の科学1　余暇社会学』垣内出版、1–27頁。

宮下紘（2021）『プライバシーという権利――個人情報はなぜ守られるべきか』岩波新書。

三輪哲・石田賢示・下瀬川陽（2020）「社会科学におけるインターネット調査の可能性と課題」社会学評論71巻1号、29–49頁。

柳瀬昇（2018）「AIと裁判」山本龍彦（編）『AIと憲法』日本経済新聞出版社、355–392頁。

矢野久美子（2014）『ハンナ・アーレント　「戦争の世紀」を生きた政治哲学者』中公新書。

山岸俊男・吉開範章（2009）『ネット評判社会』NTT出版。

山口道宏編著（2010）『「申請主義」の壁！ 年金・介護・生活保護をめぐって』現代書館。

山本勲（2017）『労働経済学で考える人工知能と雇用』公益財団法人三菱経済研究所。

山本勲編著（2019）『人工知能と経済』勁草書房。

吉田敬（2021）『社会科学の哲学入門』勁草書房。

〔英語文献〕

Acemoglu, Daron, and David H. Autor (2011) "Skills, Tasks and Technologies: Implications for Employment and Earnings," in David Card and Orley Ashenfelter, eds., *Handbook of Labor Economics*, Vol. 4B. Elsevier. 1043–1171.
Aletras, Nikolaos, Dimitrios Tsarapatsanis, Daniel Preoţiuc-Pietro, and Vasileios Lampos (2016) "Predicting Judicial Decisions of the European Court of Human Rights: A Natural Language

小野寺典子（2003）「ISSPの国際調査」日本世論調査協会報「よろん」92号、18–27頁。

笠原毅彦（2021）「AIと司法政策」法社会学87号、63–77頁。

加藤晋（2015）「社会的選択理論と民主主義」大瀧雅之・宇野重規・加藤晋（編）『社会科学における善と正義——ロールズ『正義論』を超えて』東京大学出版会、265–294頁。

何芳・小林徹（2015）「学歴間の賃金格差は拡大しているのか」Panel Data Research Center at Keio University、DP2015-002。

鎌田薫（1998）「財——総論」ジュリスト1126号、78–81頁。

川崎修（2014）『ハンナ・アレント』講談社学術文庫。

神林龍（2017）『正規の世界・非正規の世界——現代日本労働経済学の基本問題』慶應義塾大学出版会。

木村真生子（2018）「AIと契約」弥永真生・宍戸常寿（編）『ロボット・AIと法』有斐閣、131–160頁。

栗田昌裕（2018）「AIと人格」山本龍彦（編著）『AIと憲法』日本経済新聞出版社、201–247頁。

経済産業省デジタルトランスフォーメーションに向けた研究会（2018）「DXレポート——ITシステム「2025年の崖」克服とDXの本格的な展開」経済産業省HP掲載。

玄田有史（2013）『孤立無業（SNEP）』日本経済新聞出版社。

小塚荘一郎（2019）『AIの時代と法』岩波新書。

笹倉宏紀（2018a）「AIと刑事司法」弥永真生・宍戸常寿（編）『ロボット・AIと法』有斐閣、233–257頁。

笹倉宏紀（2018b）「AIと刑事法」山本龍彦（編著）『AIと憲法』日本経済新聞出版社、393–449頁。

宍戸常寿・大屋雄裕・小塚荘一郎・佐藤一郎編著（2020）『AIと社会と法——パラダイムシフトは起きるか？』有斐閣。

宍戸常寿・石川博康編（2021）『法学入門』有斐閣。

新宅純二郎・天野倫文編（2009）『ものづくりの国際経営戦略——アジアの産業地理学』有斐閣。

田崎勝也・申知元（2017）「日本人の回答バイアス——レスポンス・スタイルの種別間・文化間比較」『心理学研究』88巻1号、32–42頁。

長塚隆（1999）「EUのデータベース保護政策」情報の科学と技術49巻7号、340–346頁。

参考文献一覧

〔日本語文献〕

飯田高（2017）「資源配分システムとしての『権利』の形成」法律時報89巻2号、19–25頁。

飯田高（2021）「市場におけるルールと私的組織：市場ガバナンスに関する試論」金融研究40巻3号、1–44頁。

池永肇恵（2009）「労働市場の二極化——ITの導入と業務内容の変化について」日本労働研究雑誌51巻2号、73–90頁。

池永肇恵・神林龍（2010）「労働市場の二極化の長期的推移——非定型業務の増大と労働市場における評価」PIE/CIS Discussion Paper No. 464。

石田賢示（2017）「社会的孤立と無業の悪循環」石田浩（編）『教育とキャリア』勁草書房、194–216頁。

石田賢示（2020）「社会的孤立を生み出す2段階の格差」石田浩・有田伸・藤原翔（編著）『人生の歩みを追跡する——東大社研パネル調査でみる現代日本社会』勁草書房、129–148頁。

石田浩（2017）「格差の連鎖・蓄積と若者」石田浩（編）『教育とキャリア』勁草書房、35–62頁。

伊藤亜聖（2020）『デジタル化する新興国——先進国を超えるか、監視社会の到来か』中公新書。

伊藤秀史・小林創・宮原泰之（2019）『組織の経済学』有斐閣。

伊藤正敏（2020）『アジールと国家』筑摩選書。

井上彰（2017）『正義・平等・責任——平等主義的正義論の新たなる展開』岩波書店。

岩井克人（2000）『二十一世紀の資本主義論』筑摩書房。

岩井克人（2009）『会社はこれからどうなるのか』平凡社ライブラリー。

内田貴（2008）『民法Ⅰ〔第4版〕』東京大学出版会。

宇野重規（2007）『トクヴィル 平等と不平等の理論家』講談社選書メチエ。

大阪市社會部調査課（1923）『餘暇生活の研究』弘文堂。

太田勝造編著（2020）『AI時代の法学入門——学際的アプローチ』弘文堂。

大竹文雄（2005）『日本の不平等　格差社会の幻想と未来』日本経済新聞社。

小川紘一（2014）『オープン&クローズ戦略——日本企業再興の条件』翔泳社。

奥野正寛編著（2008）『ミクロ経済学』東京大学出版会。

南北格差　20
二極化　14, 118, 121-123, 128, 132-133, 137-138, 143
２次活動（二次的）　142, 148-149
人間の条件　39, 43, 188-189, 191-192, 221-225
ネットワーク外部性　26-27, 62, 215

【は行】
排他的支配権　88-91
破産者マップ事件　227
パットナム, ロバート　133-135
判断力の格差　183
引き継ぎ　124
ピケティ, トマ　112
非定型的タスク（非定型業務）　119-121, 126-127, 142
フェイクニュース　24
不純な活動　209, 211, 213
プライバシー　9, 14, 19, 52, 95, 211, 214, 227-229
ブラウダー，ジョシュア　79
プラットフォーム企業　23-27, 42, 47, 50-51, 62-64, 70-71
フレイ，カール　80
ブロックチェーン技術　94-95
分散型台帳技術　94-95
法規範　74-75, 83, 96
ポリス（都市国家）　140, 206, 210-211

【ま行】
マーフィー, ケヴィン　116
マルクス, カール　47, 57-61, 64, 69-70, 200
民主主義（デモクラシー）　14-16, 218
無体物　88
メリトクラシー　119
モノのインターネット（IoT）　19

【や行】
山本勲　124
ユートピア　14, 60, 144
有体物　57, 88, 95
余暇（余暇時間）　19, 43, 146-157, 160, 166-167, 171-173, 176, 180-183, 191, 206-207, 212

【ら行・わ行】
リーガル・サービス　79-80
リップマン, ウォルター　217
リバタリアニズム　57, 65
ルール　74-75, 83-84, 88, 91-93
レッシグ，ローレンス　96
ロールズ, ジョン　57, 224
労使関係　129
労働（labor）　140-143, 166, 180, 187, 190-202, 206-207, 221-222, 224-225
労働混合説　55
労働搾取　61-65, 128
労働時間　158-161, 206-207
労働中心主義　142, 200
労働分配率　61-63
ロック, ジョン　53-55, 57, 68-69, 200
忘れられる権利　67, 214-216

【ABC】
AI　→人工知能
AI 裁判官　80
EU 一般データ保護規則（GDPR）　67-68, 215
GDPR　→EU 一般データ保護規則
ILO　→国際労働機関
ISSP　→国際比較調査プログラム
OECD　→経済協力開発機構
SBTC　→スキル偏向的技術進歩
SNS（ソーシャルネットワーキングサービス）　10, 14-15, 19, 24, 32-35, 175-176, 181, 208-209
SSM 調査　123

サエズ, エマニュエル　112
サスキンド，リチャード　80
サボ，ニック　94
サリバン, オリエル　169
参加型余暇　154, 173, 176
産業革命　47, 113–114, 129, 140, 158, 199,
３次活動（三次的）　142, 148–150
シェアリング・エコノミー　130
自己所有権　42, 55–57, 64, 69–70
仕事（work）　190–202, 208, 221–222
私事性　156–157, 180
私的領域　40, 98–99, 102–103, 105–107, 156–157, 182–183, 212–213, 220
自動化　22–25, 121, 203
資本主義　47, 58–59, 102, 114, 140
社会階層論　123
社会科学　12, 29–30, 186
社会関係資本（ソーシャル・キャピタル）　134–135, 137–139
社会契約論　53
社会生活基本調査（社会調）　148
社会全体の加速　167
社会的不平等　197
消費型余暇　153–154
消費社会　199
情報搾取（情報の搾取）　47, 64–65, 67–69, 129
情報通信技術　9, 20
所有権　53, 55–57, 60, 68–69, 88–89, 227
新型コロナウイルス感染症（新型コロナウイルス）　9–10, 15, 46, 76
シンギュラリティ（技術的特異点）　204, 220–221
人工知能（AI）　14, 25, 79–81, 220–224
スーパースター企業　62–63
スキル偏向的技術進歩（SBTC）　114–115
スマート・コントラクト　94
スミス, アダム　47, 68
生活時間　142, 146, 148–149, 154, 158–159, 168, 170, 178
生活の効率化　160
生活のペースの加速　167
制作型余暇　173, 176
政治哲学　12, 54–55, 197
世界価値観調査　140–141
全体主義　16, 40
想像力の格差　183

【た行】

大衆　216, 218–220
大卒プレミアム　114–116, 123
対等復帰条件　212, 224, 227
退避可能性条件　212–213, 224, 227
タスク　118–121
知的財産権　88–90
中間的回答　155–156
データのポータビリティ（可搬性）　27, 67, 214
データベース権　90–92
定型的タスク（定型業務）　119–121, 124–127, 142
ディストピア　14, 220–221, 224
ティロール, ジャン　51–53
デジタル化社会　15, 68–69, 71, 131, 139, 143, 181, 188, 197, 202–203, 207, 209, 211–214, 216, 220
デジタル・ディバイド　13, 113
デジタル手続法　76–77
デジタルトランスフォーメーション（DX）　21–23
デモクラシー　→民主主義
電子人　84–86, 105
富（wealth）　102–103
取引費用　48–49, 51, 70, 76, 78, 94, 193–194

【な行】

索引

はじめに、本文に現れた、主な事項名、人名などを立項した。欧文で始まる項目は、和文項目の後に、アルファベット順に配列した。

【あ行】
アーキテクチャ　96
アクティヴィティ　38, 108, 140–143, 187, 190–192, 194, 198
アジール　107, 212
アトキンソン, アンソニー　112
アフター・ワーク・マン（the after-work man）　159
アメリカン・ドリーム　133
アリストテレス　205
アルゴクラシー　15
アルゴリズム　121, 127, 201–204
アレント, ハンナ　12, 37–40, 43, 68–70, 98–99, 102–109, 140–142, 156, 182, 186–196, 198–200, 205–206, 208–209, 218, 220, 224–225
アロー, ケネス　66, 226
池永肇恵　126
一億総中流　122
１次活動（一次的）　142, 148
一般データ保護規則　→EU 一般データ保護規則
炎上　181, 209
オーター, デービッド　120
オズボーン, マイケル　80
オピニオンリーダー　216, 218

【か行】
ガーシュニー, ジョナサン　169
拡張された自己所有権　64
過剰教育　123–124
加速社会　167–170, 182
カッツ, ローレンス　116
活動（action）　106, 108, 187, 190–192, 195–198, 205–214, 216–218, 221–224
神林龍　126
機会の平等　60, 65, 93, 131–132, 135–136, 138
企業　48–49
擬似環境　217
技術的加速　167
経済協力開発機構（OECD）　153
経済効率性（効率性）　23, 71, 97, 117, 129
経済的機会　14
芸術活動　200
契約の不完備性　52
ケインズ, ジョン・メイナード　31, 62
結果の平等　60, 131
公共財　66, 71, 79
公的領域　39–40, 98–99, 102–109, 156–157, 182–183, 192, 212–213, 216, 228–229
高度成長期　21, 126
衡平性　97–99
効率性　→経済効率性
コース, ロナルド　48
ゴールディン, クラウディア　116
コールマン, ジェームス　134–135
国際比較調査プログラム（ISSP）　154–155
国際労働機関（ILO）　159
互酬性規範　138
個人情報　24, 42, 51, 53, 56, 69, 203, 214–216, 229
孤立　15, 218–219
孤立無業　219

【さ行】
財産（property）　102–103

加藤晋 かとう・すすむ

一九八一年生まれ。東京大学社会科学研究所准教授。厚生経済学、公共経済学、平等論を専攻。著書に Rationality and Operators (Springer) 等。

伊藤亜聖 いとう・あせい

一九八四年生まれ。東京大学社会科学研究所准教授。中国経済論を専攻。著書に『デジタル化する新興国』(中公新書) 等。

石田賢示 いしだ・けんじ

一九八五年生まれ。東京大学社会科学研究所准教授。社会階層論、経済社会学を専攻。著書に『人生の歩みを追跡する』(分担執筆、勁草書房) 等。

飯田高 いいだ・たかし

一九七六年生まれ。東京大学社会科学研究所教授。法社会学、法と経済学を専攻。著書に『法と社会科学をつなぐ』(有斐閣) 等。

筑摩選書 0222

デジタル化《か》時《じ》代《だい》の「人間《にんげん》の条件《じょうけん》」

ディストピアをいかに回避《かいひ》するか?

二〇二一年一一月一五日　初版第一刷発行

著　者　加藤晋《かとうすすむ》　伊藤亜聖《いとうあせい》　石田賢示《いしだけんじ》　飯田高《いいだたかし》

発行者　喜入冬子

発行所　株式会社筑摩書房

東京都台東区蔵前二-五-三　郵便番号 一一一-八七五五

電話番号　〇三-五六八七-二六〇一(代表)

装幀者　神田昇和

印刷 製本　中央精版印刷株式会社

ISBN978-4-480-01741-3 C0336

筑摩選書
0030

公共哲学からの応答

3・11の衝撃の後で

山脇直司

3・11の出来事は、善き公正な社会を追求する公共哲学という学問にも様々な問いを突きつけることとなった。その問題群に応えながら、今後の議論への途を開く。

筑摩選書
0054

世界正義論

井上達夫

超大国による「正義」の濫用、世界的な規模で広がりゆく貧富の格差……。こうした中にあって「グローバルな正義」の可能性を原理的に追究する政治哲学の書。

筑摩選書
0076

民主主義のつくり方

宇野重規

民主主義への不信が募る現代日本。より身近で使い勝手のよいものへと転換するには何が必要なのか。〈プラグマティズム〉型民主主義に可能性を見出す希望の書！

筑摩選書
0109

法哲学講義

森村 進

法哲学とは、法と法学の諸問題を根本的・原理的レベルから考察する学問である。多領域と交錯するこの学を、第一人者が法概念論を中心に解説。全法学徒必読の書。

筑摩選書
0162

民主政とポピュリズム

ヨーロッパ・アメリカ・日本の比較政治学

佐々木毅 編著

ポピュリズムが台頭し、変調し始めた先進各国の民主政。その背景に何があるのか、どうすればいいのか？各国の政治状況を照射し、来るべき民主政の姿を探る！